CONTOS DE FADAS
GRIMM

Camelot
EDITORA

CONHEÇA NOSSO LIVROS
ACESSANDO AQUI!

Copyright desta tradução © IBC - Instituto Brasileiro De Cultura, 2023

Título original: Kinder- und Hausmärchen.
Reservados todos os direitos desta tradução e produção, pela lei 9.610 de 19.2.1998.

2ª Impressão 2024

Presidente: Paulo Roberto Houch
MTB 0083982/SP

Coordenação Editorial: Priscilla Sipans
Coordenação de Arte: Rubens Martim (capa)
Tradução e preparação de texto: Fabio Kataoka
Revisão: Suely Furukawa
Diagramador: Rogério Pires

Vendas: Tel.: (11) 3393-7727 (comercial2@editoraonline.com.br)

Foi feito o depósito legal.
Impresso na China

Dados Internacionais de Catalogação na Publicação (CIP) de acordo com ISBD	
G864c	Grimm, Jacob
	Contos de Fadas Grimm / Jacob Grimm, Wilhelm Grimm. - Barueri: Camelot Editora, 2023.
	144 p. ; 15,1cm x 23cm.
	ISBN: 978-65-87817-81-1
	1. Literatura infantojuvenil. 2. Contos de Fadas. I. Grimm, Wilhelm. II. Título.
2023-1133	CDD 028.5
	CDU 82-93
Elaborado por Vagner Rodolfo da Silva - CRB-8/9410	

IBC — Instituto Brasileiro de Cultura LTDA
CNPJ 04.207.648/0001-94
Avenida Juruá, 762 — Alphaville Industrial
CEP. 06455-010 — Barueri/SP
www.editoraonline.com.br

SUMÁRIO

Apresentação 05

A Bela Adormecida 07

O Avô e o Netinho 11

Chapeuzinho Vermelho 13

O Príncipe Sapo 16

O Ganso de Ouro 21

Músicos de Bremen 26

A Guardadora de Gansos 30

A Serpente Branca 40

Branca de Neve 45

A Rainha das Abelhas 50

A Raposa e o Gato 54

Os Dois Irmãos 56

A Noiva do Coelhinho 81

Os Sete Corvos 84

Rapunzel 89

O Cão e o Pardal 93

O Pequeno Polegar 99

O Flautista de Hamelin 106

O Lobo e os Sete Cabritos 108

O Pescador e sua Mulher 112

A Bola de Cristal 117

O Enigma 122

As Três Flores 126

O Fiel João 127

Cinderela 137

APRESENTAÇÃO

onhecidos mundialmente como Irmãos Grimm, Jacob e Wilhelm nasceram em Hanau, Alemanha, no final do século XVIII. Ambos estudaram Direito e iniciaram a vida profissional como bibliotecários, ampliando suas pesquisas literárias e folclóricas, o que permitiu catalogar e escrever 211 contos, em várias edições, que começaram em 1812 e foram até 1857.

Ao longo de tantos anos, os próprios autores reformularam as historinhas, diante de críticas que receberam. Originalmente, algumas heroínas tinham mães malvadas, que foram substituídas por madrastas. Detalhes considerados inadequados para crianças foram cortados e adaptados.

Embora seja difícil distinguir cada um dos dois irmãos que assinaram juntos a maior parte das publicações, eles também desenvolveram atividades individuais. Jacob, nascido em 1785 e falecido em 1863, foi o fundador da filologia alemã, enquanto Wilhelm, nascido em 1786 e falecido em 1859, destacou-se pelos trabalhos de poesia popular e medieval. Além dos contos infantis, juntos publicaram ainda *História da Língua Alemã* (1848) e um *Dicionário de Alemão* (1854-1862).

Ilustração de Walter Crane

A BELA ADORMECIDA

Há muito tempo, havia um rei e uma rainha que desejavam ter um filho. Um dia, enquanto a rainha tomava banho, um sapo saltou da água e disse:

– O seu desejo será realizado. Antes de um ano você ganhará uma filhinha.

Assim aconteceu, como o sapo previu. A rainha teve uma menina tão linda que deixou o rei feliz da vida. Para celebrar o nascimento, o rei preparou uma grande festa. Convidou todos os parentes, amigos e vizinhos. E também as fadas, a fim de obter boas graças para a criança. Havia treze fadas no reino, mas o rei tinha apenas doze pratos de ouro para servi-las. Por isso, uma das fadas não foi convidada.

A festa foi maravilhosa! Cada uma das fadas ofereceu um presente mágico à criança. Uma deu a virtude. Outra, a beleza. A terceira, riqueza. E assim por diante, as fadas deram tudo o que a princesinha poderia vir a desejar no mundo.

Assim que onze das fadas ofereceram as suas graças, apareceu de repente a décima terceira fada. Ela quis se vingar do rei por não ter sido convidada. Entrou no salão sem cumprimentar nem olhar para ninguém. E gritou para que todos ouvissem:

– Quando a princesa completar quinze anos, será picada com um fuso de tear envenenado e cairá morta.

Sem dizer mais nada, foi embora. Todos os convidados ficaram assustados com a maldição.

A décima segunda fada, porém, que ainda não tinha formulado o seu desejo, deu um passo à frente. Ela não tinha capacidade para anular o efeito da praga, mas podia abrandá-la, de modo que disse:

– A sua filha não morrerá, mas dormirá um sono profundo, que durará cem anos. E só poderá ser despertada por um beijo de amor.

O rei queria salvar a filha desse infortúnio de qualquer jeito. Ordenou que todos os fusos de tear que existiam no reino fossem destruídos.

À medida que o tempo passava, os presentes das fadas madrinhas foram se cumprindo. A princesa cresceu bela, educada, amável e inteligente. Todos que a viam se encantavam por ela.

Justamente no dia em que ela completou quinze anos, o rei e a rainha tiveram de sair. A menina, ao ficar sozinha, foi passear pelo castelo. Entrou em todos os aposentos.

Depois de um tempo, foi até uma antiga torre onde havia uma escada estreita, em caracol. Subiu por ela e encontrou uma pequena porta. Na fechadura tinha uma chave bem velha e enferrujada. Mesmo assim, ao dar a volta na chave, a porta se abriu.

Num pequeno quarto, havia uma velhinha sentada a fiar linho. Ela vivia tão isolada na torre, que não soube da ordem do rei sobre os fusos e teares.

– Bom dia, vovozinha! O que a senhora está fazendo?

– Estou fiando linho – respondeu a velhinha. E inclinou a cabeça sobre o trabalho.

– Que coisa é esta que gira tão depressa? – perguntou a princesa, pegando no fuso.

Mal encostou, picou o dedo. Imediatamente caiu numa cama que havia ao lado, e entrou num sono profundo. O rei e a rainha, que tinham acabado de retornar, deram alguns passos no salão e também adormeceram.

O mesmo aconteceu com os membros da corte. Os cavalos dormiram nas cocheiras. Os cães, no pátio. Os pombos, no telhado. As moscas, nas paredes. Até o fogo da lareira parou de crepitar. A carne, que assava no fogão, parou de estalar. O cozinheiro, que puxava o cabelo do ajudante de cozinha, por qualquer tolice que ele havia feito, largou-o e ambos adormeceram. O vento parou e, nas árvores em frente ao castelo, nem uma folha se mexia.

Em volta das muralhas do castelo, começou a crescer uma sebe de espinhos que a cada ano ficava mais alta, até que ocultou todo o castelo.

Passaram-se décadas e começou a circular pela região a lenda da Bela Adormecida, nome pelo qual a princesa era conhecida.

De tempos em tempos, apareciam príncipes que tentavam encontrar um caminho, através da sebe de espinhos, para entrar no castelo. Mas nenhum deles conseguiu chegar até o castelo. Acabavam por ficar presos no meio dos espinhos.

Depois de muitos anos, um príncipe muito audacioso visitou a cidade e ouviu um velho falar sobre a lenda do castelo oculto pela sebe. Ele contou que uma linda princesa, chamada Bela Adormecida, dormia há cem anos, além de todos os habitantes do castelo. Disse também que muitos príncipes tinham tentado atravessar a sebe, mas morreram presos nos espinhos.

O príncipe declarou:

– Eu não tenho medo. Irei e verei a Bela Adormecida.

O bondoso velho tentou impedi-lo de se aventurar, mas o jovem ignorou o conselho.

Os cem anos se completaram! O jovem, ao chegar à sebe, como por encanto, viu que os arbustos de espinhos começaram a encher-se de flores. Assim, o caminho ficou livre. Após sua passagem, tudo voltou como antes.

No pátio, ele viu os cães dormindo. No telhado, estavam os pombos com as cabeças escondidas debaixo das asas. Quando entrou no castelo, viu moscas dormindo nas paredes. Na cozinha, o cozinheiro ainda tinha a mão levantada, como se fosse bater no ajudante. Perto do trono, também estavam o rei e a rainha adormecidos.

O jovem continuou a percorrer o castelo. Estava tudo quieto. Finalmente chegou à torre e entrou no quarto onde a princesa dormia profundamente.

Ao vê-la tão bonita, ele não se conteve: abaixou-se e a beijou. Assim que a tocou, a Bela Adormecida abriu os olhos e sorriu para ele. Levantou-se, deu a mão e desceram juntos.

O rei, a rainha e os cortesãos também acordaram e entreolharam-se surpresos.

Os cavalos, nas cavalariças, abriram os olhos e sacudiram as crinas. Os cães olharam em volta e abanaram as caudas. As pombas do telhado tiraram as cabeças de sob as asas, olharam ao redor e voaram para o campo. As moscas, na parede, começaram a mover-se lentamente. O fogo, na cozinha, acendeu-se novamente e assou a carne. O cozinheiro puxou as orelhas do ajudante.

O melhor da história: o príncipe, apaixonado, se casou com a princesa num dia ensolarado. A festa do casamento no castelo foi linda! O casal viveu feliz por muitos e muitos anos.

O AVÔ E O NETINHO

Era uma vez um pobre velhinho, tão velho que os olhos já lhe estavam turvos, os ouvidos surdos e os joelhos trêmulos. À mesa, era com grande dificuldade que conseguia segurar a colher e derramava a sopa na toalha, deixando-a, também, escorrer da boca.

O filho e a nora sentiam repugnância ao ver isso; assim, ficou resolvido que o velho avô iria se sentar atrás do fogão. Davam-lhe a sopa numa tigela de barro, e assim mesmo não davam muita; o velho olhava com grande tristeza para a mesa e os olhos enchiam-se de lágrimas.

Certa vez, suas mãos trêmulas não conseguiram segurar nem mesmo a tigela, que caiu no chão, espatifando-se.

A nora repreendeu-o duramente; ele suspirou, mas não disse nada. Então ela comprou uma tigela de madeira muito barata e grosseira e ele passou a tomar sopa nela.

Quando estavam todos sentados, na sala, o netinho, de quatro anos de idade, juntava pedaços de madeira no chão.

– Que estás fazendo, meu filhinho? – perguntou-lhe o pai.

– Estou juntando madeira para fazer uma tigela para dar de comer à mamãe e ao papai quando eu for grande. – respondeu o menino.

Então os pais olharam um para o outro silenciosamente e, depois, romperam em prantos. Levantaram-se e foram buscar o velhinho, para que se sentasse à mesa. Daquele dia em diante, nunca mais se importaram que ele deixasse a comida cair na toalha ou derrubasse e espatifasse uma tigela de cerâmica.

Ilustração de Remmett Owen

CHAPEUZINHO VERMELHO

Era uma vez uma menina muito doce e meiga. Como era muito simpática, todo mundo gostava demais dela.

Um dia, a avó dela deu de presente um capuz de veludo vermelho. A menina adorou o capuz, passou a andar sempre com ele e, daí em diante, passaram a chamá-la de Chapeuzinho Vermelho.

Certo dia, a mãe dela a chamou e pediu:

– Leva este bolo e estes doces para a sua avó que está doente e bastante fraca. Isto vai lhe fazer bem. Vai sempre pelo caminho principal da floresta e não pare.

A Chapeuzinho Vermelho prometeu que se portaria bem. Pegou a cesta com a comida e partiu depois de se despedir da mãe.

A avó morava no meio da floresta, longe da vila. Assim que a menina entrou na floresta, apareceu um lobo muito grande. Só que ela não sentiu medo nem desconfiou das suas más intenções, porque era muito inocente.

– Bom dia, Chapeuzinho Vermelho – cumprimentou o lobo.

– Bom dia, lobo – respondeu ela, delicadamente.

– Onde vai tão cedo, Chapeuzinho?

– Vou à casa da minha avó.

– E o que leva na cesta?

– Levo um bolo, uma garrafa de suco e guloseimas. A minha avó está doente e isto tudo vai deixá-la animada e forte.

– Onde mora a sua avó? – quis saber o lobo.

– Ainda está um pouco longe daqui. A casa dela é pequena, mas cercada de plantas. Você deve conhecê-la – disse a menina.

– Hum... que menina tão tenrinha! Primeiro, vou almoçar a avó e, depois, vou saborear a menina como sobremesa – planejou o lobo.

– Olhe à sua volta, Chapeuzinho Vermelho. Já reparou como são lindas as flores desta floresta? Ouça o canto dos pássaros! Não tenha pressa e aprecie a beleza da floresta!

A Chapeuzinho Vermelho olhou em volta e se encantou com os raios de sol por entre a ramagem e com o tapete de lindas flores que cobria o chão da floresta. Daí pensou em fazer um ramalhete com essas belas flores para dar à sua avó e deixá-la muito feliz.

A menina saiu do caminho e entrou na floresta para apanhar flores. Sempre que colhia uma flor, via mais adiante outra ainda mais bonita. Por isso, foi se afastando cada vez mais, embrenhando-se na floresta. Enquanto isso, o lobo aproveitou a distração da Chapeuzinho Vermelho, correu para a casa da avó e bateu à porta.

– Quem é? – perguntou a velhinha.

– Sou eu, a Chapeuzinho Vermelho – respondeu o lobo, disfarçando a voz. – Trago uma cesta cheia de coisas gostosas. Vovozinha, a senhora pode abrir a porta?

– A porta está aberta. Levante a tranca e entre. Não posso sair da cama porque estou muito fraca – respondeu a avó.

Foi justamente isso que o lobo quis ouvir! Entrou em casa, correu para a cama e engoliu a velhinha de uma vez. Depois, vestiu as suas roupas, cobriu a cabeça com uma touca, puxou as cobertas da cama e ficou encolhido à espera da Chapeuzinho Vermelho.

Entretanto, a menina demorou muito para colher as flores. Somente depois que fez um ramalhete bem bonito é que saiu da floresta e retomou o caminho em direção à casa da avó.

Ao chegar lá, viu que a porta estava aberta. Surpreendida, entrou na sala e olhou em volta.

"Por que será que sinto tanto medo? Não costumo ficar assim na casa da minha vovozinha..." –, pensou.

A menina aproximou-se da cama da avó e levantou as cobertas. A avó estava deitada, com a touca na cabeça que cobria parte do rosto. Parecia muito estranha...

– Vovó, a senhora tem orelhas tão grandes!

– É para ouvi-la melhor.

– Vovó, a senhora tem olhos tão grandes!

– São para vê-la melhor.

– Vovó, a senhora tem mãos tão grandes!

– São para abraçá-la melhor.

– Vovó, a senhora tem uma boca tão grande e horrível!

– É para comê-la melhor.

Ao dizer isso, o lobo saltou da cama e engoliu a menina. Depois, voltou a deitar-se, adormeceu e começou a ressonar muito alto.

Pouco depois, um caçador passou perto da casa. Ouviu o barulho e achou muito estranho que uma velhinha ressonasse tão alto. Resolveu verificar o que se passava.

Entrou na casa e deu de cara com o lobo deitado na cama. Percebeu logo o jogo do lobo e deduziu que ele tinha engolido a velhinha. Como ela ainda poderia estar viva, não atirou nele.

Ao encontrar uma tesoura, abriu rápido a barriga do lobo. Assim que começou a cortar, viu a ponta de um capuz vermelho. Cortou mais e a Chapeuzinho Vermelho saltou e, em prantos, disse que teve muito medo. Afinal, dentro da barriga estava muito escuro.

O caçador também conseguiu salvar a velhinha.

Revoltada, a menina juntou um monte de pedras e colocou tudo dentro da barriga do lobo. Ao acordar, ele tentou fugir, mas não conseguiu porque as pedras pesavam muito. O lobo caiu no chão e morreu.

O caçador ficou com a pele do lobo. A avó comeu o bolo, os doces e tomou o suco que a netinha tinha deixado na casa junto com o ramalhete de flores. E a Chapeuzinho Vermelho, feliz da vida, prometeu que nunca mais iria desobedecer a sua mãe e andar sozinha pela floresta.

O PRÍNCIPE SAPO

Há muitos e muitos anos, quando havia fadas boazinhas e outras más, vivia um rei num castelo distante que tinha várias filhas, todas muito bonitas. A mais nova, então, era tão bela que até o próprio sol se derretia por ela.

Perto do castelo havia um bosque cheio de recantos frescos por onde a princesa gostava de passear nos dias quentes. Costumava andar por um caminho em direção a uma nascente. Lá ela brincava com uma bola de ouro, o seu brinquedo preferido.

Uma vez, ela atirou a bola com tanta força que acabou por cair num buraco muito fundo formado pela água da nascente. A princesa ainda correu atrás da bola de ouro, mas não conseguiu pegá-la. Muito infeliz, começou a chorar.

Chorou, chorou, sem parar.

– Por que você chora tanto assim, linda princesa? – perguntou alguém. – Até as pedras se comovem com a sua tristeza, calma!

A princesa olhou ao redor, mas só encontrou um sapo a espreitar com a cabeça fora da água.

– Ah, é você que está aí falando, sapo? – perguntou ela. – Estou triste porque a minha bola de ouro caiu nesse buraco.

– Não chores mais, pois posso ajudá-la – disse o sapo. – Mas quero saber o que você me dará se trouxer a bola de ouro.

– Dou tudo o que você quiser, meu querido sapo – respondeu. – Os meus lindos vestidos, os meus colares de pérolas e também a coroa de ouro que trago na cabeça.

– E para que me servem os seus vestidos, os colares e a sua coroa? Em vez disso, quero que se case comigo. O que desejo é ser seu amigo, passear com você, almoçar e jantar do seu prato de ouro, beber do seu copo e dormir na sua cama. Se você prometer ficar comigo, nadarei até o fundo do buraco e trarei a sua bola de ouro.

– Sim, sim! – jurou a princesa. – Prometo tudo isso em troca da minha bola de ouro!

– Posso prometer qualquer coisa... Afinal um sapo só pode viver junto de outros sapos, à beira da água – pensou ela.

O sapo mergulhou até o fundo do buraco, agarrou a bola e voltou para a margem. Deu dois saltos e colocou a bola aos pés da princesa.

Assim que a jovem pegou a bola de ouro, saiu correndo e largou o sapo sozinho.

– Espere por mim! – gritou o sapo. – Leva-me com você, pois não consigo correr tanto.

Não adiantou nada o sapo implorar. Mais tarde, alguém bateu à porta da sala de jantar do castelo e gritou:

– Princesa, linda princesa, abra a porta!

A princesa correu para abrir. Assim que viu o sapo, fechou rapidamente a porta e voltou tremendo de medo para a mesa. O rei percebeu a aflição da princesa e perguntou a ela:

– O que aconteceu, minha filha? Por acaso tem algum gigante atrás da porta, pronto para levar você com ele?

– Oh, não! – respondeu a princesa. – Não é um gigante, é apenas um sapo horroroso.

– Mas o que quer de você esse sapo?

Então a jovem contou ao pai o que se passou no dia anterior.

O sapo continuou a bater à porta e disse:

– Princesa, linda princesa, abra a porta! Você se esqueceu do nosso trato feito ontem junto à nascente?

– Minha filha, se você prometeu, tem que cumprir a promessa – disse o rei. – Abra a porta para ele.

A princesa obedeceu e o sapo entrou na sala aos saltinhos, avançando até a cadeira da jovem.

– Agora, pegue-me e ponha-me ao seu lado.

A jovem hesitou, mas o pai obrigou-a a fazer o que o sapo pedia. Assim que se viu sentado na cadeira, o sapo quis subir para cima da mesa. Depois pediu que a princesa colocasse na frente o prato de ouro e dividisse com ele o seu jantar.

Mesmo contrariada, a jovem obedeceu. No entanto, o sapo a ignorou e, por isso, não comeu quase nada.

– Não quero comer mais nada. Estou caindo de sono – disse o sapo. – Quero que me leve ao seu quarto e me deite na sua cama.

A princesa começou a espernear. Ela não se conformava em ter que dormir com o sapo na mesma cama.

O rei ficou furioso com a atitude da filha:

– Não seja ingrata com quem a ajudou, obedeça!

A jovem, então, enfrentou a situação de repulsa. Pegou o sapo com as pontas dos dedos e levou-o para o seu quarto. Largou-o num canto e deitou-se. Mas o sapo aproximou-se da cama aos saltinhos e disse:

– Estou muito cansado, princesa. Quero dormir na sua cama. Por favor, senão conto ao seu pai.

Furiosa, a jovem pegou o sapo, atirou-o com toda a força contra a parede e gritou:

– Agora você está satisfeito, sapo nojento?

Assim que o sapo bateu na parede, transformou-se num lindo príncipe. Olhou para a princesa com carinho. Nessa hora, a jovem percebeu que aquele era o noivo que o pai tinha destinado a ela e que ficou encantado na pele de um sapo.

O príncipe explicou para a princesa que uma fada má o enfeitiçou e que só ficaria livre se a filha de um rei aceitasse casar com ele, mesmo sob a forma de um sapo.

Na manhã seguinte, o príncipe resolveu levar a noiva para o seu reino. Pouco depois, chegou ao palácio uma linda carruagem puxada por seis cavalos brancos, com muitos enfeites dourados. De pé, na parte de trás da carruagem estava Henrique, o criado mais fiel do príncipe. Quando o seu amo foi transformado em sapo, o coração de Henrique ficou apertado de tanta dor. Agora, ele ficou aliviado e muito feliz em poder ajudar o jovem casal a subir na carruagem.

Depois de algumas horas de viagem, o príncipe ouviu um estalo.

– O que aconteceu, Henrique? A carruagem quebrou? – perguntou o príncipe.

– Não, meu senhor – respondeu o criado. – É o meu coração que está batendo muito forte de tão contente que estou pela sua volta.

Mais adiante, de novo outro estalo e depois outro. Na verdade, o coração de Henrique estourava de alegria por ver o seu amo livre do feitiço e muito feliz junto da sua noiva!

A viagem continuou e, quando chegaram ao castelo do príncipe, houve uma grande e linda festa que durou uma semana.

Ilustração de Remmett Owen

O GANSO DE OURO

Era uma vez um homem que tinha três filhos. O mais novo era conhecido como Pateta. Todo mundo caçoava dele e era muito desprezado.

Um dia bem cedo, o filho mais velho foi cortar lenha na floresta. A mãe deu a ele um bolo e uma garrafa de suco. À entrada da floresta, o jovem encontrou um velhinho de cabelos brancos que o cumprimentou educadamente.

– Você pode me dar um pedaço do seu bolo e um gole do seu suco, pois estou morrendo de fome e com sede? – pediu o homem.

O jovem negou e disse que ele seguisse sua vida. Largou o velho e entrou na floresta.

Assim que começou a cortar a primeira árvore, se desequilibrou e o machado escorregou da sua mão e machucou seu braço. Foi praga rogada pelo velhote que encontrou no caminho. O jovem teve de voltar correndo para casa e tratar do ferimento.

No dia seguinte, o segundo filho foi igualmente para a floresta, e a mãe, tal como fez ao mais velho, preparou um lanche com bolo e uma garrafa de suco. Ele também encontrou o velhinho de cabelos brancos, que o cumprimentou e pediu do mesmo jeito um pedaço do bolo e um gole do suco.

– Se eu der, fico com menos para mim – disse. E não me aborreça!

Abandonou o velho e entrou no bosque. O castigo veio logo. Ao dar as primeiras machadadas numa árvore, o machado escapou das mãos e feriu uma perna. Foi difícil andar com dor até chegar à casa dos pais.

Apesar de todos esses acidentes com seus dois irmãos, o Pateta pediu ao pai para ir ao bosque cortar lenha.

De cara, o pai duvidou da capacidade do filho mais novo. Mas o Pateta insistiu tanto que o pai acabou deixando ele ir.

Em vez de bolo e uma garrafa de suco bem gostoso, a mãe deu a ele um pedaço de pão seco e um suco bem aguado.

Ao chegar perto da floresta, o Pateta encontrou o velho de cabelos brancos, que deu bom dia como fez com seus irmãos. E também pediu um pouco do seu lanche.

– Estou cheio de fome e de sede – se queixou o velhinho.

– Só tenho pão seco e suco sem graça – respondeu o Pateta. – Mas se ajuda, divido com o senhor de boa vontade. Vamos sentar aqui no chão e comer os dois.

Ao abrir a sacola, o Pateta viu que o pão tinha se transformado num grande e saboroso bolo e que o suco, antes aguado, estava ótimo. Comeram e beberam satisfeitos.

– Você provou que tem bom coração, por isso vou recompensá-lo. Veja aquela árvore bem alta! Quero que a corte porque há uma coisa para você escondida debaixo das suas raízes.

Assim que fez esse pedido, o velho desapareceu. O Pateta seguiu o conselho do velho e cortou a árvore. Agachado no meio das raízes encontrou um ganso com as penas todas de ouro. Agarrou o ganso, colocou-o debaixo do braço e continuou sua aventura. Ao entardecer chegou a uma pousada, onde passou a noite para descansar.

O dono da pousada tinha três filhas, que ficaram encantadas pela ave. E todas queriam uma pena daquele ganso.

– Vou arranjar um jeito de arrancar ao menos uma – planejou a mais velha.

Por volta da meia-noite, entrou no quarto onde dormia o Pateta e agarrou o ganso pelas asas para arrancar uma pena de ouro. Mas as suas mãos ficaram pregadas às penas da ave e não conseguiu tirá-las.

Em seguida, a mais nova também quis arrancar uma pena. Aproximou-se do ganso, mas, sem querer, encostou no braço da irmã. Mal a tocou, ficou presa.

A terceira filha entrou também no quarto, com a mesma intenção. As irmãs gritaram para que se afastasse delas, mas ela desconfiou que quisessem ficar com todas as penas do ganso e foi em frente. Agarrou o braço da mais nova. Mal a tocou, também ficou grudada. As três irmãs tiveram de passar a noite toda junto do ganso, sem se poderem separar umas das outras.

Na manhã seguinte, o Pateta pegou o ganso, colocou-o debaixo do braço e se mandou, sem se importar com as três irmãs que foram atrás dele. Elas eram obrigadas a segui-lo para onde quer que ele fosse. Andaram assim durante algum tempo através dos campos até que encontraram o padre da região.

– Moças, aonde vocês vão? Que loucura é essa? Vocês não têm vergonha de correr dessa maneira atrás de um homem? – criticou o padre.

Sem entender direito o que estava acontecendo, o padre tentou puxar a mais nova pela mão. Mas, mal a tocou, também ficou preso. Mais adiante, encontraram o sacristão que ficou muito espantado ao ver o padre tomar parte daquele desfile.

– Senhor padre! Aonde vai com tanta pressa? Não se afaste muito, porque temos hoje um batizado! – disse o sacristão.

E tentou segurar o padre pela manga da batina, mas, mal a tocou, também ficou grudado e foi obrigado a segui-lo.

Dois lavradores voltavam do campo, com as enxadinhas às costas, e ficaram muito admirados ao ver aquele cortejo. Ao passar por eles, o padre gritou para que o libertasse junto com o sacristão. Mas, mal os dois camponeses tocaram no sacristão, também ficaram presos e, assim, foram obrigados a seguir a turma toda. Eram agora sete pessoas a correr atrás do Pateta e do ganso.

Sempre a correr, chegaram ao palácio. O rei tinha uma filha tão séria que até então ninguém conseguiu fazê-la rir, o que deixava o pai muito preocupado. Por isso, naquele mesmo dia, mandou anunciar que daria a filha em casamento ao homem que conseguisse fazê-la rir.

Ao ouvir essa notícia, o Pateta pediu para ir à presença da princesa, com o ganso debaixo do braço e as outras pessoas todas agarradas ao ganso.

Assim que viu entrar o esquisito desfile das sete pessoas presas umas às outras atrás do Pateta e do seu ganso, a princesa caiu na risada.

Então, o Pateta foi até ao rei e pediu a mão da filha. Acontece que o rei não queria um genro daqueles, por isso exigiu que o Pateta encontrasse um homem capaz de beber sozinho um tonel de bebida.

O Pateta lembrou-se do velho que lhe tinha dado o ganso. Dirigiu-se ao bosque e foi até ao lugar onde tinha cortado a árvore. No tronco, estava sentado um homem com um ar muito perdido.

O Pateta perguntou a ele por que estava tão fraco.

– Morro de sede e nunca consigo ficar bem. Parece que tenho uma pedra ardendo dentro do estômago, por isso não posso beber água fria, porque me faz mal – explicou o homem.

– Eu posso ajudá-lo. Venha comigo, e eu arranjo um jeito de você matar a sede – disse o Pateta.

O homem acompanhou o Pateta até a adega do rei e bebeu até não aguentar mais. À noite, a adega estava vazia.

O Pateta exigiu novamente ao rei que cumprisse a sua promessa. Como não queria de forma nenhuma dar a filha a ele, obrigou-o a uma segunda prova. Tinha que encontrar um homem que fosse capaz de comer sozinho uma montanha de pão.

O Pateta aceitou o desafio e foi novamente ao bosque. Assim que chegou ao lugar onde cortou a enorme árvore, encontrou um homem sentado no tronco, que apertava todos os furos do cinto da calça.

– Tenho muita fome. Acabo de comer e logo fico com o estômago vazio outra vez. Não quero morrer de fraqueza – disse ele ao Pateta.

– Então, levante-se e siga-me! Você poderá comer à vontade até não aguentar mais - garantiu o Pateta todo contente.

Levou o homem ao pátio do palácio. O rei mandou usar toda a farinha do reino para fazer um pão do tamanho de um monte.

O homem começou a comer e, naquela mesma noite, a montanha de pão desapareceu.

Pela terceira vez, o Pateta reclamou a mão da princesa. Mas o rei, que queria evitar a todo o custo aquele casamento, exigiu uma terceira prova. Desta vez, tinha que lhe trazer um barco que navegasse tão bem por terra como no mar.

– Se você conseguir chegar aqui ao palácio com todas as velas desfraldadas, desta vez, concedo a mão da minha filha em casamento – prometeu o rei ao Pateta.

O Pateta seguiu direto ao bosque, onde cortou a árvore. Lá encontrou o velhinho de cabelos brancos com quem dividiu o seu lanche.

– Graças ao seu bom coração, comi e bebi, por isso quero que fique com o meu barco que navega tanto por terra como no mar – disse o velhinho.

Assim, o Pateta pôde chegar ao palácio com todas as velas desfraldadas. O rei cumpriu a palavra e permitiu que o Pateta casasse com a sua filha. O casamento foi lindo! Quando o rei morreu, o Parvo sucedeu ao trono. O Pateta e a princesa viveram felizes para sempre!

Ilustração de Remmett Owen

MÚSICOS DE BREMEN

Era uma vez um burro que tinha trabalhado durante muitos anos para o seu dono, carregando sacos de milho. O tempo passou e ele foi ficando fraquinho, até que não conseguia mais trabalhar como antes. Então o dono começou a pensar em se desfazer dele. Mas o burro adivinhou a sua intenção, fugiu e seguiu em direção à cidade de Bremen. Enquanto caminhava, pensava:

– Em Bremen posso tornar-me músico!

Depois de andar um pouco, encontrou, à beira da estrada, um cão de caça que ofegava como se tivesse acabado de correr muito.

– Por que respira assim com tanta dificuldade? – perguntou o burro.

– Ah, sabe lá! Como estou velho e cada dia que passa me sinto mais fraco, já não posso caçar. O meu dono queria me matar, mas eu fugi. E agora, o que vai ser de mim? – queixou-se o cão.

O burro falou:

– Por que não vem comigo para Bremen? Vou virar músico da cidade e tocar alaúde. Você podia tocar tambor...

O cão aceitou o convite e os dois pegaram a estrada juntos. Andaram algum tempo até que encontraram um gato que estava muito, muito triste. O burro perguntou para o gato:

– Então, meu velho, o que é que aconteceu com você? Não parece muito animado.

O gato contou:

– Quem é que pode andar alegre quando se tem a vida em risco? Como estou velho e prefiro dormir na lareira a caçar ratos como antigamente, a minha dona quis me afogar e eu fugi. Mas, agora, o que será de mim?

O burro sugeriu:

– Vem com a gente para Bremen. Pode ser um músico como nós e entrar para a banda da cidade.

O gato topou e foi com eles. Pelo caminho passaram por uma chácara e viram um galo empoleirado numa porteira. Cantava a plenos pulmões. O burro quis saber:

– Você quer deixar as pessoas surdas? Por que grita tanto?

O galo explicou:

– Amanhã é domingo e a minha dona tem convidados. Mandou a cozinheira me cortar o pescoço hoje à noite e me enfiar na panela. Por isso, canto enquanto posso.

O burro convidou:

– É melhor vir conosco. Nós vamos para Bremen e sempre é melhor do que ir para a panela. Você tem uma bela voz e juntos faremos um belo quarteto.

O galo gostou da ideia e lá seguiram os quatro. Mas como a cidade de Bremen ainda ficava longe, resolveram passar a noite numa floresta.

O burro e o cão se deitaram debaixo de uma árvore e o gato e o galo aninharam-se nos seus ramos. O galo escolheu um dos ramos do topo da árvore porque ali se sentia mais seguro. Antes de adormecer, olhou em volta e viu ao longe uma luz a brilhar na escuridão. Chamou os amigos e disse para eles que naquela direção havia uma casa.

O burro sugeriu que fossem até lá porque onde estavam não era um lugar seguro.

O cão se animou porque tinha esperança de encontrar na casa ossos e, talvez, sobra de carne. Assim, eles seguiram em frente.

Guiados pela luz, chegaram até a velha casa. Era um esconderijo de ladrões.

O burro, como era o mais alto, aproximou-se da janela e espreitou para ver o que tinha lá. Ele viu quatro ladrões em volta de uma mesa cheia de comida e bebida.

– De um banquete desse é que nós precisamos – disse o galo.

Cheio de fome, o burro, então, incentivou a entrarem na casa.

Pensaram como fazer até que, por fim, os quatro amigos tiveram uma ideia para espantar os ladrões.

O burro apoiou as patas dianteiras no parapeito da janela, o cão saltou para cima dele, o gato saltou para cima do cão e o galo voou para cima do gato. Depois, começaram a fazer barulho, cada um à sua maneira: o burro zurrou, o cão ladrou, o gato miou e o galo cantou. Enquanto faziam esse concerto, saltaram através da janela e quebraram os vidros. Foi um barulho estrondoso que assustou demais os ladrões. Não deu outra, os homens saíram correndo rumo à floresta como se estivessem fugindo de um fantasma horrível.

Radiantes, os quatro amigos sentaram-se à mesa e comeram tudo o que podiam. Depois, apagaram a luz e procuraram um canto para dormir. O burro deitou-se num monte de palha que havia no pátio, o cão deitou-se atrás da porta do fundo da casa, o gato enroscou-se junto das brasas da lareira e o galo empoleirou-se numa das traves do teto da casa. Como estavam exaustos, adormeceram rapidinho.

Por volta da meia-noite os ladrões voltaram. Estava tudo escuro e não se ouvia barulho nenhum.

– Fomos tolos em nos assustar tanto – disse o chefe da quadrilha. E mandou um dos seus homens à frente para examinar a casa.

O homem entrou e foi até a lareira para acender uma vela. Os olhos do gato brilhavam no escuro e o ladrão pensou que eram duas brasas. Aproximou um fósforo do focinho do gato para o acender. O gato não gostou da brincadeira e saltou na cara dele, arranhando-a muito, enquanto miava e soprava. O ladrão levou um tremendo susto e tentou fugir pela porta do fundo, mas o cão atirou-se nele e deu uma baita dentada na perna.

Machucado e cada vez mais amedrontado, o homem correu pelo pátio. Ao passar perto do burro, levou dois fortes coices. Nisto, o galo acordou em sobressalto e começou a cantar:

– Có-có-ró-có-có! Có-có-ró-có-có!

O ladrão fugiu o mais depressa que pôde. Assim que alcançou os outros, gritou desesperado:

– Estamos perdidos! Lá na casa tem uma bruxa horrorosa sentada perto da lareira que me arranhou a cara com as suas unhas enormes. Encostado na porta tem um homem que esfaqueou a minha perna. No pátio dei de cara com um monstro que me encheu de pauladas. Em cima do telhado está o chefe deles todos que gritou: "Corre, senão você apanha!" – Foi o que fiz, para não apanhar mais.

Os ladrões nunca mais se atreveram a voltar àquela casa. Quanto aos quatro músicos de Bremen, sentiram-se tão bem por lá que resolveram nunca mais sair...

A GUARDADORA DE GANSOS

Era uma vez uma velhinha que vivia com um bando de gansos num lugar ermo, no meio das montanhas, onde tinha uma linda casinha. O sítio estava cercado de uma grande floresta, para onde a velhinha ia todas as manhãs, caminhando com a ajuda de uma bengala.

Trabalhava horas a fio, com uma força extraordinária para a sua idade. Cortava a erva para os gansos, que adoravam isso; colhia avelãs, bolotas doces, pinhões e outros frutos e bagas selvagens, e carregava tudo para casa. Era de se imaginar que tal peso a esmagasse, porém ela carregava-o sem a menor dificuldade. Quando encontrava alguém, cumprimentava muito gentilmente:

– Bom dia, compadre; o dia hoje está bonito! Naturalmente, todos se admiram por quão leve é esta carga, mas cada qual deve carregar seu peso nas costas!

As pessoas, porém, se esquivavam o mais depressa possível; os pais recomendavam aos filhos se afastarem do caminho dela, dizendo-lhes:

– Tome cuidado com aquela velha! É uma espertalhona, uma verdadeira bruxa.

Certa manhã, um belo rapaz, vestido como fidalgo (porque ele era), passou pela floresta. O sol resplandecia, os pássaros cantavam, uma doce brisa agitava as folhas das árvores; e ele caminhava alegremente. Ainda não tinha encontrado ninguém, mas, de repente, avistou a velha que, acocorada, atava com uma corda o saco onde pusera a erva para os gansos. Ao lado, estavam dois cestos cheios de maçãs e peras.

– Boa vovozinha – disse ele – julga poder levar toda essa carga?

– Assim é preciso, meu jovem – respondeu ela; –, os ricos não necessitam fazer tais coisas, mas os camponeses, mesmo quando curvados como eu, precisam.

Depois, como ele a fitava compadecido, disse:

– Quer me ajudar? Anda ainda direito e tem as pernas fortes; este fardo não lhe pesará mais que uma pluma. Não tem que ir muito longe. Minha casa fica no alto da colina, a um quarto de hora daqui.

– Na realidade, sou filho de um conde; mas quero provar que não são somente os camponeses que podem carregar um fardo. – disse o rapaz, sorridente.

– Se quer fazer isso, me dará grande satisfação – disse a velha –, porque hoje me sinto um pouco cansada.

Quero prevenir, aliás, que minha casa fica a uma hora daqui e não um quarto de hora, como disse; mas isso é o que importa? Tem de levar, também, as maçãs e as peras.

O jovem, ante essas palavras, fez uma careta; mas a velha não lhe deu tempo de mudar de ideia; colocou-lhe o saco às costas e pendurou os cestos em cada um dos seus braços. E a velhinha falou:

– Está vendo? Pesam como uma pluma.

– Oh, não, não são como plumas, pesam terrivelmente. Parece que o saco está cheio de pedras e que esses frutos são de chumbo.

Sua vontade era de largar tudo no chão, mas a velha não deu chance e disse:

– Veja só, este belo rapaz não tem força para levar às costas o que eu, pobre velha decrépita, levo todos os dias. São todos iguais estes fidalgos! Pródigios de bonitas palavras, mas quando se trata de cumpri-las esquivam-se. Por que fica aí plantado como um pau? Vamos, levante as pernas e avante; porque, fique sabendo, deste fardo agora não pode se livrar.

Com efeito, o fidalgo sentiu que o saco e os cestos estavam como que grudados ao corpo. Pôs-se a caminho; enquanto andavam no plano, ainda resistiu; mas quando se tratou de subir a colina e as pedras colavam-lhe sob os pés, como se estivessem vivas, não aguentou. O suor banhava seu rosto, escorrendo pelas costas, quente e frio ao mesmo tempo. Então, disse:

– Vovozinha, não posso mais; vou descansar um pouco.

– Nada disso! Quando chegarmos em casa, poderá descansar à vontade; mas, por enquanto, tem de ir adiante.

– É um tanto insolente, minha velha! – disse o rapaz, e quis de novo colocar no chão o saco e os cestos; porém, por mais que se sacudisse, se virasse, nada conseguiu. A velha ria e, vendo aqueles esforços em vão, pulava de alegria com sua bengala, dizendo:

– Vamos, não se zangue, meu belo rapaz, a raiva o torna feio; está vermelho como um peru. Carregue o fardo com paciência, ao chegarmos em casa vou lhe dar uma boa recompensa.

O fidalgo, embora mal-humorado e resmungando, acabou por se conformar com a sorte e pôs-se a caminho. A velha parecia cada vez mais alegre e a carga mais pesada. De repente, ela saltou-lhe para cima das costas, acomodando-se confortavelmente. Seca e esturricada como era, pesava mais do que uma gorda camponesa. O rapaz sentia os joelhos vergarem e quase caiu no chão. Penando, gemendo, teve de andar. Quando queria parar a fim de tomar fôlego, a velhinha batia nele com a bengala, gritando:

– Arre! irra! vamos!

Sempre gemendo, ele subiu a colina e chegou à casa da velha, exatamente quando estava para tombar exausto. Quando chegaram perto da casinha, os gansos que andavam por ali em volta, vendo a dona, correram-lhe ao encontro, batendo as asas, esticando o pescoço, abrindo o bico, em suma, fazendo um estardalhaço medonho. Atrás do bando vinha uma camponesa muito feia, monstruosa, que falou:

– Minha mãe, como demorou hoje! Aconteceu alguma coisa desagradável?

A velhinha respondeu:

– Não, minha filhinha, não me aconteceu nada, pelo contrário, tive o prazer de encontrar este belo jovem, que teve a amabilidade de carregar meu fardo, comigo em cima. O caminho não nos pareceu nada comprido. Nós rimos e nos divertimos o tempo todo.

Finalmente, a velha saltou para o chão, tirou-lhe o saco e os cestos, olhou para ele carinhosamente e disse:

– Agora, meu bom rapaz, pode se sentar nesse banco e descansar. Mereceu bem a recompensa e não deixará de tê-la. Quanto a você, minha pequena, vai para casa. É bela e o jovem fidalgo pode se apaixonar por você!

O rapaz, apesar de extenuado e pouco disposto a rir, só a muito custo se conteve à ideia de apaixonar-se por aquela moça monstruosa, toda desfigurada.

A velha, depois de acariciar os gansos como se fossem seus filhos, entrou em casa com a filha. O fidalgo deitou-se no banco que estava debaixo de uma árvore. O ar estava morno, suave e perfumado do cheiro de tomilho. Um prado verdejante se estendia por toda a volta, salpicado de prímulas e uma infinidade de outras flores. Pouco distante, um riacho cristalino brilhava sob os raios do sol. Os gansos brancos passeavam de um lado para outro, indo banhar-se nas águas do riacho. Ele disse:

– É muito bonito aqui! Mas estou tão cansado! Vou dormir um pouco. Já não posso mais andar, tenho as pernas quebradas. Parecem desprender-se do corpo e para isso bastaria apenas uma rajada de vento.

Depois de ter dormido mais ou menos uma hora, a velhinha o sacudiu:

– Levante, são horas de partir para que possa chegar à próxima aldeia antes de anoitecer. Dei muito trabalho, é verdade, mas não arriscou a vida. Aqui não posso lhe dar hospitalidade, porém aqui tem uma coisa que o indenizará, largamente, da fadiga e do incômodo. Pegue, isto lhe dará a felicidade.

Entregou-lhe um pequeno estojo, feito de esmeralda, acrescentando:

– Guarda-o cuidadosamente e será feliz.

O fidalgo aceitou o presente, pôs-se de pé e, para o próprio espanto, não sentia o menor cansaço. Estava lépido e bem-disposto. Agradeceu à velha, despediu-se dela e foi-se embora sem mesmo lançar um olhar à pobre camponesa guardadora de gansos. Já ia longe e ainda se ouvia a barulhada dos gansos.

O conde teve que vagar durante três dias por aquela grande floresta antes de encontrar a saída. E acabou por sair do lado oposto por onde entrara.

Chegou a uma grande cidade e, sendo desconhecido de todos, conduziram-no à presença do rei e da rainha, que o receberam no meio da corte, sentados nos tronos.

Ele se ajoelhou e ofereceu à rainha o estojo que a velha lhe dera. A rainha aceitou-o, pedindo ao jovem que se levantasse. A rainha desmaiou ao ver o conteúdo do estojo. Por ordem do rei, os guardas precipitaram-se sobre o fidalgo e o levaram para a prisão, mas logo o trouxeram, pois a rainha, que voltara a si, pediu a todos que se retirassem e a deixassem falar com o jovem fidalgo. Aos prantos, a rainha contou:

– O que vi neste estojo despertou no meu coração um cruel desgosto. Ah, que valem o fausto e as honrarias que me circundam se todas as manhãs desperto em meio à ansiedade e ao sofrimento? Eu tinha três filhas, todas três lindas; a mais jovem, sobretudo, era tão linda que a achavam uma verdadeira maravilha. Sua tez tinha a cor da flor de macieira e os cabelos eram brilhantes como os raios do sol. Pelo dom de uma fada, quando chorava, eram pérolas e pedras preciosas que caíam dos seus olhos. Quando completou quinze anos, o rei mandou chamar as três para o pé do trono; quando apareceram perante a corte reunida, dir-se-ia que tinha surgido a aurora; todos esticavam o pescoço para melhor admirá-las. O rei disse:

– Minhas boas filhas, todos somos mortais; ninguém conhece o momento da morte; por isso quero, de antemão, determinar a parte do meu reino que tocará a cada uma quando eu já não existir. Sei bem que todas me amam, mas diga-me cada uma como é que ama para que eu possa saber qual a que tem por mim mais afeição; essa terá uma parte maior do que as outras. A mais velha disse:

– Meu pai, amo-o como os bolos mais doces, mais açucarados.

Disse a segunda:

– Eu o amo como amo o meu vestido mais bonito.

A mais nova mantinha-se calada; então o rei perguntou-lhe:

– E você, meu tesouro, como é que me amas?

– Não sei exprimir ao certo – respondeu ela –, adoro-o infinitamente; mas não posso comparar a nada o meu amor.

O pai, todavia, insistiu para que dissesse qualquer coisa, por fim ela disse:

– As iguarias mais finas e delicadas não me agradam sem sal; portanto, amo-o como ao sal.

Ao ouvir essas palavras, o rei, que era muito colérico, zangou-se terrivelmente e disse:

– Ah, falta-me ao respeito! Já que prefere o sal a tudo, terá tanto sal quanto puder levar. Meu reino será partilhado igualmente entre as suas irmãs.

– Depois, apesar das lágrimas e súplicas de todos os que o cercavam, o rei fez atar às costas da pobre menina um saco de sal e mandou que a levassem para a floresta virgem que fica na fronteira do reino. Quanto chorou a pobre pequena por ter que nos deixar! E chorou e lamentou-se durante todo o caminho, não por ter perdido a herança paterna, mas por ver-se separada dos pais e das irmãs, a quem muito amava. Trouxeram-me um cesto cheio de pérolas que caíram dos seus olhos.

– No dia seguinte, a fúria do rei se acalmou e ele se arrependeu amargamente de ter dado aquela ordem insensata. Mandou procurar a menina por toda a floresta, mas não descobriram vestígio algum.

– Lobos ou outros animais ferozes a devoraram? Essa ideia enche meu coração de angústia e sofrimento. Prefiro pensar que tenha sido recolhida por alguma pessoa caridosa. O que este estojo contém confirma essa suposição. Quando o abri, verifiquei que continha duas pérolas absolutamente iguais às que caem de seus olhos quando chora! Nem sei como explicar a minha emoção ao vê-las. Diga-me, por favor, como chegaram às suas mãos?

O fidalgo narrou sua aventura com a velhinha que, segundo sua opinião, podia bem ser uma bruxa. Mas não tinha visto a princesa e não sabia de nada sobre ela.

Não obstante, a rainha decidiu procurar a velha para saber de onde provinham aquelas pérolas que, esperava, poderiam pô-la na pista da filha querida. O rei declarou que a acompanharia. No dia seguinte, partiram para a floresta, levando o fidalgo para servir de guia.

Alguns dias depois, a velhinha estava sentada na sua casinha, na clareira da floresta; fiava, fazendo girar o tear. Estava escurecendo, e alguns gravetos acesos no fogão iluminavam fracamente o ambiente.

De repente; ouviu-se um grande ruído. Eram os gansos que se recolhiam voltando do pasto e grasnando infernalmente. A seguir, entrou também a guardadora de gansos. Ela saudou a velha e, pegando também no seu fuso, pôs-se a fiar com a esperteza de uma moça. Estiveram assim, perto de uma hora, trabalhando sem trocar uma só palavra. De repente, ouviu-se um ruído de encontro à janela e apareceram dois olhos que pareciam de fogo. Era um velho mocho, que gritou três vezes: – Uh, uh, uh!

– É o sinal – disse a velha –, é tempo, minha filha, de ir ao seu trabalho.

A guardadora de gansos levantou-se e saiu sem dizer nada. E para onde foi? Dirigiu-se através da charneca para uma fonte existente à entrada da floresta; ao lado da fonte havia três velhos carvalhos. A lua resplandecia em toda a sua claridade por cima das montanhas; estava tão claro que se podia distinguir um alfinete no chão.

A guardadora de gansos sentou-se numa pedra, retirou uma pele que, feito uma máscara, lhe cobria todo o rosto e a cabeça; baixou-se, lavou-a na água da fonte e estendeu-a sobre a erva para clarear e enxugar. Qual a mudança que se operou, então? Uma coisa igual nunca se vira! Em vez de uma grosseira camponesa, via-se agora uma jovem de beleza surpreendente; tinha a cor da flor de macieira, os cabelos, dourados, brilhavam como o sol, os olhos cintilavam como as estrelas do firmamento.

Mas a jovem estava muito triste. Sentou-se de novo e pôs-se a chorar amargamente. Uma após outra rolavam as lágrimas pelo chão e, em vez de se perderem na terra, ficavam intactas e refletiam os raios da lua. Estava toda imersa na sua dor, e assim teria ficado quem sabe lá quanto tempo, se não fosse um forte ruído nos ramos dos carvalhos. Ela sobressaltou-se, estremecendo como uma corça ao ouvir os tiros do caçador. Cobriu rapidamente o rosto com a pele horrorosa que a desfigurava e fugiu com toda a pressa. Bem nesse momento uma nuvem negra estava escondendo a lua e ela pôde fugir e desaparecer na escuridão.

Chegou em casa trêmula como uma vara verde. A velha estava na soleira da porta e a jovem quis contar-lhe o medo que tivera de ser surpreendida por algum desconhecido. Mas a velha, sorrindo prazerosa, disse-lhe que já sabia o que se passara e levou-a para a sala, acendendo mais gravetos no fogo. Não tornou, porém, a sentar-se ao seu tear. Pegou uma vassoura e pôs-se a varrer e a limpar o chão, enquanto dizia:

– Deve estar tudo limpo e arrumado.

A jovem, muito admirada, perguntou-lhe:

– Oh, mãezinha, por que se põe a limpar a casa a estas horas?

– Sabe que horas são? – perguntou a velha.

– Pouco menos de meia-noite –, respondeu a jovem.

– Então não se recorda – prosseguiu a velha –, que hoje faz justamente três anos que chegou aqui, nesta mesma hora? O seu tempo já findou, agora não podemos mais ficar juntas; temos que nos separar.

A jovem entristeceu-se e exclamou:

– Oh, querida mãezinha, vai me abandonar, a mim que não tenho nem pátria nem família? Onde irei me refugiar? Não a obedeci sempre, não executei prontamente todos os trabalhos que me mandou fazer? E os nossos pobres gansos, o que será feito deles? Oh, não me mande embora!

A velha não quis revelar-lhe o que a aguardava; disse simplesmente:

– Eu não posso mais continuar aqui. Antes de deixar esta casa quero que tudo fique limpinho e arrumado, portanto não interrompa o meu trabalho. Nada receie, encontrará um outro teto para a abrigar e será largamente recompensada pelo zelo e pela dedicação que teve comigo.

– Pelo menos me diz o que acontecerá! – pediu ansiosa a jovem.

– Já falei para não interromper o meu trabalho. Não pergunte mais. Vá para o quarto, tire essa pele monstruosa do rosto, vista o lindo traje de seda que usava quando nos encontramos pela primeira vez na floresta; depois espere que a chamem. A jovem, muito comovida, obedeceu sem replicar.

Mas, voltemos ao rei e à rainha que tinham deixado o palácio, com o jovem fidalgo, em busca da velhinha na clareira da floresta.

No terceiro dia, tendo o jovem se adiantado mais que os outros, achou-se separado deles e não pôde encontrá-los. Depois de ter vagado algumas horas ao acaso, chegou, quando já escurecia, à orla da floresta, avistando aí uma fonte cercada de três velhos carvalhos. Para estar protegida contra animais selvagens, instalou-se nos ramos dessas árvores, disposto a passar ali a noite.

Já estava instalado quando, à luz da lua, viu uma pessoa, que reconheceu como sendo a guardadora de gansos, embora não trouxesse a vara na mão.

– Oh – disse ele –, eis aí a camponesa! Se encontrei uma bruxa, estou certo de que a outra também não me escapará.

Preparava-se para descer da árvore e interrogá-la, mas parou espantado. Viu que a jovem, ao chegar perto da fonte, retirava a pele que lhe cobria o rosto e soltava os cabelos de ouro. Era tão linda como jamais vira igual no mundo. Deslumbrado, avançou a cabeça por entre a folhagem, para admirá-la melhor; mas, ao debruçar-se, os ramos estalaram e ela colocou, rapidamente, a pele no rosto e fugiu assustada. Devido à escuridão, desapareceu aos olhares do fidalgo, sem deixar vestígio.

Então desceu da árvore, resolvido a segui-la e encontrar a casinha. Após alguns momentos, tendo corrido um certo trecho de caminho, avistou duas sombras que caminhavam pelo bosque. Correu ao encontro delas. Eram o rei e a rainha que, tendo visto de longe a luz da casinha, para lá se dirigiam.

O conde contou-lhes a maravilhosa aparição que acabara de ver junto da fonte e eles não duvidaram que fosse a filha querida. Transbordando de alegria, apressaram o passo e, em pouco tempo, chegaram a casinha. Em roda estavam os gansos, com as cabeças debaixo das asas, dormindo profundamente. Aproximaram-se e, através dos vidros da janela, viram a velha, que se pusera a fiar depois de ter limpado bem a casinha.

Sentada lá, silenciosamente, ela fiava, fiava, fazendo sim, sim, com a cabeça sem olhar para lado algum. Mas não viram a filha; ficaram por algum tempo olhando com atenção. A rainha, que ansiava por ver a filha, bateu levemente à janela. Parecia que a velha os esperava. Ela se levantou e, abrindo a porta, disse num tom amável:

– Entrem! Sei quem são!

Quando entraram, ela dirigiu-se ao rei, acrescentando:

– Teriam poupado o incômodo desta longa caminhada se, há três anos, não tivessem, por uma injustiça cruel, abandonado sua filha na floresta. Ela é tão boa e tão encantadora! Isto não a prejudicou, mas foi preciso durante todo este tempo guardar os gansos; assim não aprendeu nada de mal e conservou toda a pureza e inocência do coração. Quanto aos senhores, estão suficientemente punidos com a angústia e o tormento em que viveram durante esse tempo. Cumpriram o castigo. A velhinha foi até ao quarto ao lado e chamou:

– Vem, minha filhinha!

Abriu a porta e a princesa surgiu vestida com os trajes da corte. Seus cabelos brilhavam como ouro puro. Os olhos pareciam dois diamantes. Parecia um anjo do céu. Lançou-se nos braços da mãe; depois abraçou o pai, que chorava de alegria e arrependimento. Nisso, avistou o jovem conde ao lado; corou como uma framboesa pensando no desdém que ele lhe mostrara quando a julgava um monstro. O rei falou:

– Minha filha, lamento muito ter partilhado o meu reino com suas irmãs mais velhas! Agora, que posso lhe dar?

A velhinha falou:

– Não é preciso preocupar-se, eu recolhi todas as pérolas que ela derramou pensando nos senhores. São infinitamente mais preciosas do que as que se colhem no fundo do mar e valem bem mais que seu reino. Como recompensa dos três anos de trabalho e dedicação, dou-lhe a minha casinha. No subterrâneo, encontrareis um tesouro imenso.

Depois de abraçar a princesa, a velhinha desapareceu como que por encanto.

Ouviu-se um leve estalido na parede e, quando olharam em redor, viram que a casinha se transformara num magnífico castelo, com numerosos criados andando de um lado para outro e servindo à mesa suntuosamente posta.

A bela princesa se casou com o jovem fidalgo e viveram muitos e muitos anos felizes no castelo dado pela velhinha. Os gansos que viviam na casinha eram todas moças enfeitiçadas, que logo recuperaram a forma humana. Algumas se tornaram damas de companhia da princesa e outras viraram criadas.

A velhinha não era uma bruxa má, mas uma fada que só fazia o bem. Provavelmente foi ela que deu à princesa, quando nasceu, o dom de chorar pérolas em vez de lágrimas.

A SERPENTE BRANCA

Há muito tempo, certo rei era admirado demais por sua sabedoria. Ele tinha conhecimento de tudo. Não havia nada oculto para ele, até mesmo os segredos mais antigos. Parecia que tudo chegava aos ouvidos dele pelo ar.

Apesar de ser tão sábio, o rei tinha um costume esquisito. Quando a refeição do meio-dia acabava, a mesa era tirada e não havia mais ninguém presente, um criado de confiança trazia um prato a mais. Esse prato era coberto. Nem mesmo o criado sabia o que havia dentro. O rei só tirava a tampa e comia depois de ficar sozinho.

Um dia o criado não aguentou tanta curiosidade. Discretamente levou o prato para o seu quarto e trancou a porta com cuidado. Ao levantar a tampa, deu de cara com uma serpente branca.

Ele resolveu experimentar a iguaria. Cortou um pequeno pedaço e colocou na boca. Assim que o pedacinho da serpente tocou a língua dele, o criado começou a ouvir estranhos sussurros do lado de fora da janela. Quando se debruçou para ver o que era, descobriu que as vozes que murmuravam eram de pardais a conversar. Os passarinhos contavam uns aos outros o que tinham visto pelos bosques e campos. Ao provar a serpente, ele ganhou o poder de entender a linguagem das aves e dos animais.

Justamente naquele dia, a rainha disse que sumiu o seu anel preferido. O rei logo suspeitou do seu criado de confiança porque somente ele podia andar livremente por todo o palácio.

O rei mandou chamar o criado e deu prazo até o dia seguinte para ele provar sua inocência. Ele tinha que dar o nome do ladrão, senão seria considerado culpado e decapitado.

Sem saber como se defender, ele foi até ao quintal. De repente, ele começou a prestar a atenção na conversa entre alguns patos que estavam à beira de um riacho. Um deles se queixou:

– Estou com um peso no estômago. Comi tão depressa que engoli um anel que estava no chão por baixo da janela da rainha.

Rapidinho o criado agarrou o pato pelo pescoço, levou-o para a cozinha e disse ao cozinheiro:

– Olha só que pato tão gordo. Está ótimo para assar.

O cozinheiro concordou. Cortou o pescoço do pato e depois, enquanto limpava e abria a ave para temperar, encontrou o anel da rainha no estômago dele. Assim, o criado recuperou o anel da rainha e provou a sua inocência.

O rei, então, quis reparar a injustiça. Ofereceu ao criado a oportunidade de escolher qualquer coisa que quisesse ou algum cargo nobre no palácio.

O criado recusou todas as honras. Disse que só queria um cavalo e um pouco de dinheiro, porque desejava viajar e conhecer o mundo. O rei fez a sua vontade e o criado partiu todo feliz!

Um dia, ao passar por um lago, viu três peixes presos em uns caniços. Eles já estavam quase sem água. Dizem que os peixes são mudos. Mas ele ouviu muito bem como eles gemiam e falavam que tinham medo de morrer. Como ele era um homem bom, desceu do cavalo e devolveu os três cativos para a água. Os peixes salvos puseram, então, as cabecinhas de fora e se abanaram de alegria. E disseram:

– Vamos lembrar disto e recompensá-lo por ter salvado nós três!

O jovem continuou o seu caminho. Mais adiante, ouviu uma voz que vinha do chão. Prestou atenção e ouviu a queixa do rei das formigas:

– Se os humanos conseguissem manter os seus animais desajeitados bem longe de nós, seria ótimo! Este cavalo estúpido com esses cascos imensos e pesados está esmagando o meu povo sem piedade...

Ao ouvir isso, o criado saiu por um caminho lateral. E o rei das formigas gritou:

– Vamos lembrar disto e recompensá-lo!

O jovem seguiu em frente. O caminho levava a uma floresta. Lá, ele viu um casal de corvos empurrando os filhotes para fora do ninho:

– Fora, seus marotos! – gritavam. – Não podemos continuar enchendo as suas barrigas. Vocês já estão bem grandinhos! Já podem procurar sozinhos a própria comida.

Os pobres filhotes batiam as asas desajeitados e não conseguiam sair do chão.

– Ainda somos filhotes indefesos... – gritavam. – Como é que podemos arranjar comida se ainda nem sabemos voar? Assim, vamos morrer de fome!

Ao ouvir isso, o bondoso jovem decidiu matar o seu cavalo com a espada porque ele já não aguentava mais cavalgar pelo mundo. E deu a sua carne para alimentar os pequenos corvos. Eles vieram saltitando e comeram até se fartar. E disseram:

– Vamos lembrar disto e recompensá-lo!

Daí em diante, o jovem teve de andar a pé. Depois de muito caminhar, chegou a uma grande cidade. As ruas estavam muito movimentadas.

Um homem a cavalo anunciava que a filha do rei estava à procura de marido. Mas o candidato precisava primeiro cumprir uma tarefa muito difícil. Se falhasse, perderia a vida. Muitos arriscaram a vida à toa.

Ao ver a filha do rei, o jovem ficou tão encantado com a beleza dela que se esqueceu do perigo. Apresentou-se ao rei como pretendente.

Foi levado diretamente à beira do mar. Lá, diante dos seus olhos, atiraram à água um anel de ouro. Depois, o rei disse que ele precisaria ir buscar o anel lá no fundo. E acrescentou:

– Se você sair da água sem ele, será de novo atirado ao fundo até morrer afogado.

Os cortesãos ficaram todos com pena do jovem e lamentaram seu destino.

Sozinho, o jovem ficou parado sem saber como agir. De repente, viu três peixes nadando na sua direção – justamente os três que ele tinha salvado no lago. Ele ficou surpreso em encontrá-los agora no mar. O do meio tinha uma concha na boca. Depositou-a na praia, junto aos pés do jovem.

Ao pegar na concha, logo abriu e encontrou o anel de ouro.

Todo contente, levou o anel até ao rei. Ele esperava receber a recompensa prometida. Acontece que a princesa era muito petulante. Assim que soube que o jovem não era de família nobre como ela, desprezou ele. E disse que ele ia precisar cumprir uma segunda tarefa.

A princesa desceu até ao jardim e espalhou dez sacos de farelo no meio da relva. E disse:

– Você terá de recolher tudo isso até amanhã, antes de o sol nascer. Sem faltar nem sequer um grãozinho.

O jovem sentou-se no jardim e começou a pensar numa forma de cumprir a tarefa, mas não teve nenhuma ideia. E lá ficou ele, tristíssimo, esperando o pior.

Assim que surgiram os primeiros raios do sol, ele teve uma grande surpresa. Ele viu no jardim que os dez sacos estavam de pé, cheios até a borda, sem faltar nem um grãozinho. O rei das formigas tinha vindo ao jardim durante a noite, com milhares e milhares de formigas. E os bichinhos agradecidos tinham juntado todos os grãos de farelo dentro dos sacos outra vez.

A filha do rei veio pessoalmente até ao jardim e ficou espantada de ver que a tarefa tinha sido cumprida. Mas seu coração duro ainda se recusava a se render. E fez nova exigência:

– Ele cumpriu as duas tarefas. Mas não será meu marido enquanto não me trouxer um fruto da árvore da vida.

O jovem nem sabia onde ficava essa árvore da vida. Partiu à sua procura, disposto a andar até onde as pernas o levassem. Mas tinha pouca esperança de a encontrar.

Uma noite, depois de procurar por três reinos, ele chegou a uma floresta. Sentou-se debaixo de uma árvore e começou a cochilar. De repente, ouviu um barulho nos galhos e uma fruta de ouro caiu sobre suas mãos. Ao mesmo tempo, três corvos desceram voando da árvore, pousaram nos seus joelhos e disseram:

– Nós somos os filhos de corvo que você não deixou morrer de fome. Quando crescemos e ouvimos dizer que você estava à procura da fruta de ouro, voamos por cima do mar até o fim do mundo, onde cresce a árvore da vida, e colhemos a fruta.

Radiante, o jovem voltou para o palácio. Deu a fruta de ouro à princesa e esperou ser aceita por ela. Afinal, ele cumpriu todas as tarefas.

Eles dividiram a fruta da vida e a comeram juntos. Aí o coração da princesa amoleceu e ficou cheio de amor por ele. E os dois viveram felizes para sempre!

BRANCA DE NEVE

Há muito e muito tempo, na Europa, no meio do inverno, quando os flocos de neve caíam do céu leves como plumas, uma rainha estava sentada costurando junto a uma janela com esquadrias de madeira escura, chamada ébano. Ela costurava distraída, olhando os flocos de neve que caíam lá fora e, por isso, espetou o dedo em uma agulha e três gotas de sangue caíram na neve. Aquele vermelho em cima do branco ficou tão bonito que ela pensou: "Eu queria ter um bebê assim, que fosse branco como a neve, lábios vermelhos como o sangue e cabelos negros como a madeira da moldura desta janela."

Algum tempo depois, ela teve uma filha, que era branca como a neve, de boca vermelha como o sangue e tinha cabelos negros como o ébano. Deram a ela o nome de Branca de Neve. Só que quando ela nasceu, a rainha morreu.

Certo dia, o pai da Branca de Neve voltou a se casar com uma mulher belíssima, mas extremamente cruel. Desde o primeiro dia, ela tratou muito mal a menina. Para piorar, a madrasta era feiticeira.

Assim que o rei morreu, a rainha, inconformada com a beleza da Branca de Neve, exigiu que ela fizesse todo o trabalho de casa. A rainha tinha um espelho mágico e todos os dias perguntava quem era a mulher mais bonita do mundo. Em todas as vezes o espelho respondia que era ela. Um dia, ao fazer a habitual pergunta, o espelho respondeu:

– Você é bela, mas a Branca de Neve é muito mais.

O ciúme foi tanto que a malvada rainha ordenou a um dos seus empregados que levasse a Branca de Neve até ao bosque e a matasse. Como prova de que havia cumprido tão cruel crime, deu a ele um cofrezinho para trazer

Ilustração de Walter Crane

o coração da Branca de Neve. Quando o empregado ia cometer o horrível crime, teve pena da pobre princesinha e decidiu não matá-la. Mas preveniu-a que fugisse para o mais longe possível. Depois, para poder levar à rainha uma prova que havia obedecido às suas ordens, caçou um veado e colocou o coração do animal dentro do cofre.

Muito assustada, Branca de Neve correu pelo bosque até ao anoitecer. Ficou tão cansada que se deixou cair numa pequena clareira, onde adormeceu profundamente.

Ao acordar, no dia seguinte, estava rodeada por passarinhos e outros pequenos animais da floresta. Na hora, ficaram todos amigos da princesinha. Ela contou tudo o que tinha acontecido. Como a Branca de Neve não tinha para onde ir, os animaizinhos a levaram para uma casinha no centro do bosque.

Parecia uma casa de boneca de dois andares, mas muito bagunçada. As mesas, as cadeiras e as camas eram muito pequeninas. Tudo estava muito sujo e nada estava em ordem. Pelo tamanho pequeno das coisas e dos móveis, a princesa pensou que a casa fosse habitada por crianças.

Com a ajuda dos animaizinhos que a acompanhavam, a casa ficou toda arrumada e cheirosa. As roupas limpas, os móveis sem pó e os utensílios de cozinha brilhavam de tão limpos que ficaram. Pouco depois de acenderem a lareira, a Branca de Neve subiu para o andar de cima. Juntou três caminhas e se deitou. Adormeceu tranquilamente.

Já era noite quando sete anõezinhos caminhavam um atrás do outro em direção à casa do bosque cantando uma alegre canção. Eram os donos da casa onde Branca de Neve descansava. Todos eles, menos um, tinham as barbas muito brancas. Eles voltavam do trabalho numa mina de diamantes que existia no bosque.

Ao chegarem em casa, ficaram surpresos com as luzes acesas e tudo tão limpo e arrumado. Começaram a revistar toda a casa. De repente encontraram Branca de Neve, que ainda dormia. Quando a princesinha acordou, eles se apresentaram para ela. Cada um deles com carinha diferente e personalidade própria.

Ela contou a eles todas as aventuras por que tinha passado. Os anõezinhos, então, decidiram tomar conta dela. A Branca de Neve ficou tão feliz que, na-

Ilustração de Walter Crane

quela noite mesmo, preparou um jantar delicioso. Depois de comerem, fizeram uma festa em que todos cantaram e dançaram.

Como sempre fazia, a malvada rainha consultou o seu espelho mágico e soube que a Branca de Neve continuava a ser a mulher mais bonita do mundo. Soube também o lugar onde ela estava morando.

Furiosa, decidiu acabar pessoalmente com a vida da princesinha. Para isso, passou veneno numa maçã. Logo que a Branca de Neve desse uma mordida na maçã, cairia num sono profundo. Ficaria como morta. Só poderia despertar se ganhasse um beijo de amor.

A bruxa, disfarçada de velhinha bondosa, foi até a casa dos anõezinhos, mas só se aproximou depois que eles saíram para o trabalho. Assim que a Branca de Neve ficou sozinha, a rainha malvada bateu palmas e pediu a ela um copo de água. Como agradecimento, deu a ela a maçã envenenada. Branca de Neve mordeu-a e caiu no chão.

Os animaizinhos do bosque avisaram os sete anões o que tinha acontecido. Logo, eles largaram o trabalho e correram para casa.

Ao encontrarem a princesinha como morta, todos se desesperaram e choraram muito. Os anõezinhos ainda viram a bruxa fugir. Imediatamente, foram atrás dela para castigá-la. Para escapar dos seus perseguidores, a rainha malvada escalou uma alta montanha. Foi a sua perdição, pois escorregou e caiu no abismo, onde morreu. Ela foi castigada e acabaram as suas maldades.

Os anõezinhos voltaram correndo para junto da Branca de Neve. Muito tristes, eles colocaram a princesinha numa cama forrada de flores. E permaneceram ali chorando a perda da amiga.

De repente, passou um príncipe e ouviu muito choro. Ele parou e resolveu ver o que tinha acontecido. Ao entrar na casa, viu a belíssima Branca de Neve deitada na cama. Ficou encantado, daí chegou bem perto dela e a beijou. Esse beijo de amor quebrou o feitiço e a princesa despertou. Os anõezinhos pularam de alegria. A princesinha estava viva.

O príncipe pediu a Branca de Neve em casamento. Ela aceitou porque também se apaixonou por ele. Assim, e depois de agradecer e se despedir dos seus pequenos amigos, o feliz casal seguiu para o palácio do príncipe.

Alguns dias depois eles se casaram. O casamento foi maravilhoso! Para a grande alegria e surpresa da Branca de Neve, os sete anõezinhos estavam presentes na festa.

A RAINHA DAS ABELHAS

Ilustração de Walter Crane

Certa vez, existia um rei que tinha três filhos homens. Os dois mais velhos saíram de casa e não deram mais notícias.

Inconformado, o filho mais novo, conhecido por João Simplório, foi atrás dos irmãos. Ao encontrá-los, eles caçoaram dele por ser muito ingênuo e ainda pensar em vencer na vida. Ao contrário deles, que se achavam muito espertos, mas não tinham conseguido destaque nenhum na vida.

Apesar das diferenças, eles deixaram que o irmão caçula fosse junto com eles em busca de aventuras. Lá foram os três irmãos juntos.

Durante a caminhada, encontraram um formigueiro. Os dois irmãos mais velhos queriam destruí-lo para ver as formigas fugirem alvoroçadas. O João Simplório foi contra o ataque ao formigueiro.

– Deixem os bichinhos em paz, eu não suporto que judiem deles!

Continuaram a andar e chegaram a um lago onde havia muitos patos. Claro que os dois irmãos pensaram em matar alguns para comer. De novo o João Simplório foi contra e disse:

– Deixem os bichinhos em paz, eu não suporto que eles sejam mortos!

Passado um tempo, encontraram uma colmeia, onde havia tanto mel que escorria pelo tronco da árvore. Os dois espertinhos queriam acender uma fogueira por baixo para sufocar as abelhas e poder tirar o mel. Mais uma vez, João Simplório foi contra essa maldade e disse:

– Deixem os bichinhos em paz, eu não suporto que eles sejam queimados.

Tudo bem, os três irmãos continuaram a caminhada. Desta vez, viram um castelo. Foram espiar!

Na cocheira havia cavalos de pedra, mas não havia pessoa alguma. Eles passaram por todas as salas até que, no fim, encontraram uma porta com três fechaduras. No meio da porta havia, porém, um buraquinho por onde se podia espiar o aposento. Conseguiram ver um velhinho, sentado diante de uma mesa. Eles bateram à porta, mas ele não ouviu. Chamaram por duas vezes. Quando o chamaram pela terceira vez, ele levantou-se, abriu as fechaduras e saiu.

O homenzinho de cabelo todo branco não disse uma palavra. Mas levou-os a uma mesa bem farta de comida e bebida. E acenou para que os três irmãos comessem e bebessem à vontade. Depois, ele conduziu cada um ao seu quarto de dormir.

No dia seguinte, o velhinho aproximou-se do mais velho e, por meio de sinais, pediu a ele que o seguisse até uma placa onde estava escrito três tarefas que poderiam quebrar o feitiço do castelo.

A primeira tarefa era recolher, sob o musgo da floresta, mil pérolas da princesa que estavam lá espalhadas. A tarefa tinha de ser cumprida até ao pôr do sol. Caso faltasse apenas uma pérola, a tarefa não estaria cumprida, e ele seria transformado em pedra. O mais velho dos irmãos passou o dia inteiro na floresta, mas só encontrou cem pérolas. Como estava escrito na placa, ele virou estátua de pedra.

No outro dia, o irmão do meio assumiu a tarefa, mas não se saiu melhor que o mais velho. Como só achou duzentas pérolas, também virou estátua de pedra.

Ilustração de Walter Crane

    Finalmente chegou a vez do João Simplório. Assim que começou a procurar no musgo, percebeu que a tarefa era difícil e demoraria muito para encontrar as pérolas.

    Desanimado, o irmão caçula se sentou numa pedra. De repente, apareceu o rei das formigas que ele tinha salvado a sua vida. Ele veio acompanhado de cinco mil formigas. Assim, as pequeninas trabalhadoras reuniram milhares de pérolas e entregaram todas de uma vez para o João Simplório. Primeira tarefa cumprida!

    A segunda tarefa era ir apanhar, no fundo do lago, a chave do quarto da filha do rei. Quando o João Simplório chegou ao lago, encontrou os patos que ele uma vez salvou. Pronto, os patos mergulharam, pegaram a chave lá no fundo e deram para o João Simplório. Segunda tarefa cumprida!

A terceira tarefa era a mais difícil. Ele tinha que descobrir qual das três filhas do rei que estavam dormindo era a mais nova.

Elas não eram gêmeas, mas eram iguaizinhas. Aparentemente, não havia nada que as distinguisse uma da outra. A única pista era o que cada uma comeu antes de dormir.

As três princesas comeram três doces diferentes: a mais velha, um torrão de açúcar. A segunda, um pouco de melaço. E a mais jovem, uma colherada de mel.

Para a surpresa do João Simplório, chegou a rainha das abelhas que ele protegeu do fogo. Ela provou da boca das três. Por fim, pousou na boca daquela que comeu mel. Assim, o João Simplório reconheceu qual era a princesa mais nova.

Com todas três tarefas cumpridas por João Simplório, o feitiço no castelo foi desfeito. Tudo despertou daquele sono! Quem virou pedra, voltou a ter vida.

João Simplório e a princesa mais jovem se casaram e viveram muito felizes. Por sua sabedoria e prudência, ela sucedeu ao pai no trono.

Os dois irmãos do João Simplório aprenderam a ter humildade e respeito com as pessoas e a natureza. Como mudaram de vida, o rei permitiu que eles se casassem com as outras duas princesas.

A RAPOSA E O GATO

Ilustração de Percy J. Billinghurst

Certo dia, o gato encontrou a raposa no bosque e pensou: "vou cumprimentá-la. Ela é tão inteligente, tão experiente, tão respeitada por todo mundo..."

E fez uma saudação amigável:

– Bom dia, querida Dona Raposa! Como tem passado?

A raposa ficou inchada de orgulho. Olhou o gato de alto a baixo e levou algum tempo para resolver se respondia ou não.

Finalmente, disse:

– Dobre a língua, seu patife lambedor de bigodes, seu palhaço de meia-tigela, seu pilantra caçador de ratos, você não tem vergonha? Quem pensa que você é? Como você se atreve a perguntar como eu tenho passado? Quem é você? Que é que você sabe? O que você aprendeu? Que artes você domina?

– Só uma – respondeu o gato, modestamente.

– E qual é?

– Quando os cães correm atrás de mim, consigo escapar, subindo em uma árvore.

– Só isso? – disse a raposa. – Pois eu sou senhora de mil artes e além disso tenho um monte de truques que dariam para encher um baú... Fico de coração apertado só de pensar como você é indefeso. Vem comigo, vou ensiná-lo a fugir dos cães.

Justamente nesse momento, apareceu um caçador com quatro cães. O gato deu um pulo rápido para o tronco de uma árvore e foi lá para cima, para o meio da copa, onde as folhas e os galhos o esconderam por completo.

– Abra o baú, Dona Raposa, abra o baú! – gritava o gato.

Mas não adiantou nada. Os cães já tinham agarrado a raposa, que estava bem presa e imóvel nas patas deles.

– Que pena, Dona Raposa! – disse o gato. – Veja a encrenca em que a senhora está, com todas as suas mil artes. Se pelo menos soubesse subir nas árvores, como eu, salvava a vida...

OS DOIS IRMÃOS

Havia dois irmãos, um rico e outro pobre. O rico era ourives e muito mau. O pobre ganhava a vida fabricando vassouras e era bom e honesto.

O pobre tinha dois filhos, dois gêmeos idênticos como duas gotas de água. De vez em quando, eles iam até a casa do rico e, às vezes, ganhavam umas sobras de comida.

Um dia, o fabricante de vassouras foi até ao bosque apanhar uns gravetos de uma árvore enorme. Nela pousava um pássaro todo dourado. Nunca tinha visto uma ave tão linda. Pegou uma pedra e atirou no pássaro. Foi atingido de raspão. Uma pena caiu ao chão e a ave voou e foi-se embora.

O homem pegou a pena e levou-a até ao irmão, que olhou para ela e disse:

– Mas é de ouro puro!

E deu muito dinheiro por ela.

No dia seguinte, o fabricante de vassouras subiu numa árvore, para arrancar alguns galhos. De repente, viu o mesmo pássaro sair voando da árvore. Olhou em volta e achou um ninho com um ovo dentro. Um ovo de ouro! Pegou o ovo, levou-o para casa e o mostrou-o ao irmão, que mais uma vez disse:

– É de ouro puro!

E novamente deu muito dinheiro por ele.

Finalmente, o ourives disse:

– Gostaria de ter esse pássaro!

Pela terceira vez, o fabricante de vassouras foi até ao bosque. Novamente, viu o pássaro dourado, desta vez pousado em um galho. Atirou uma pedra e matou ele. Levou o pássaro ao irmão, que novamente deu a ele um dinheirão.

O fabricante de vassouras pensou:

"Agora vou poder refazer a vida!" E foi para casa.

Acontece que o ourives era muito esperto. Ele sabia que tipo de pássaro era aquele.

Chamou a mulher e disse:

– Quero que você asse este pássaro sem perder nem um pedacinho dele. Quero comer todo, sozinho. Este pássaro era especial. Descobri que quem comer o coração e o fígado será um felizardo. Passará a achar, todas as manhãs, uma moeda de ouro debaixo do travesseiro.

A mulher limpou o pássaro e colocou-o num espeto para assar. Deu uma saidinha. Enquanto isso, os filhos do fabricante de vassouras entraram na cozinha. Rodaram umas duas vezes o espeto no fogo. De repente, dois pedacinhos caíram na panela. Um deles disse:

– Vamos comer esses pedacinhos? Estou com tanta fome... Ninguém vai dar falta!

E puseram os dois pedacinhos na boca.

Assim que a mulher voltou, percebeu que eles tinham comido alguma coisa e perguntou:

– O que é que vocês comeram?

– Ah, só uns pedacinhos que caíram dessa ave – disseram.

"Meu Deus! Eram o coração e o fígado! Estou perdida!", pensou a mulher, aflita.

Antes que o marido desse pela falta, a mulher rapidamente matou um frango. Tirou o coração e o fígado e colocou-os dentro do pássaro dourado. Assim que a ave ficou pronta, ela serviu-a ao ourives, que comeu tudo sozinho.

Na manhã seguinte, esperava encontrar uma moeda de ouro debaixo do travesseiro. Não havia nada!

Ao se levantarem no dia seguinte, os meninos sentiram alguma coisa cair no chão, tilintando. Eram duas moedas de ouro. Logo foram mostrá-las ao pai, que ficou intrigado.

A boa sorte dos meninos continuou. Todo dia de manhã, apareciam duas moedas de ouro. O pai, então, contou o caso ao irmão.

O ourives concluiu que as crianças tinham comido o fígado e o coração do pássaro dourado. Como era um homem invejoso e cruel, inventou uma história para se vingar dos sobrinhos. Ele disse ao pai dos meninos:

– Os seus filhos fizeram um pacto com o diabo. Não fique com esse ouro maldito! O diabo já se apossou dos seus filhos! Se não tomar cuidado, você e sua mulher também serão destruídos!

O pai dos gêmeos tinha muito medo do diabo. Por isso, seguiu o conselho do irmão. Com o coração apertado, abandonou os meninos na floresta.

As crianças queriam voltar pra casa, mas se perderam. Quanto mais andavam, mais se perdiam. De repente, encontraram um caçador, que perguntou:

– Quem são vocês? De onde é que vocês vêm?

– Somos os filhos do pobre fabricante de vassouras – responderam.

E contaram a ele que o pai não podia ficar com eles em casa porque todas as manhãs apareciam duas moedas de ouro debaixo dos travesseiros deles.

– Não há nada de mal nisso, desde que vocês continuem a ser bons e honestos, e não sejam preguiçosos – disse o caçador.

Como não tinha filhos, o bom homem resolveu tomar conta dos meninos e disse:

– Não se preocupem! A partir de agora sou o pai de vocês!

Ele criou os dois meninos e ensinou-os a caçar. Eles continuaram a achar moedas de ouro todas as manhãs, que eram guardadas pelo caçador para a garantia do futuro deles.

O tempo passou, eles já eram homens feitos. Um dia, o pai levou os filhos adotivos à floresta e disse:

– Hoje eu vou testar a perícia de vocês como atiradores. Se vocês se saírem bem de aprendizes, vão passar a ser mestres-caçadores.

Foram todos para o esconderijo de caça e ficaram muito tempo à espera, mas não apareceu nenhum animal. De repente, o caçador avistou um bando de gansos selvagens, voando numa formação em triângulo. E disse a um dos jovens:

– Faça o abate de um em cada ponta.

O jovem acertou e passou no teste.

Daí a pouco, outro bando chegou, desta vez voando na forma do número dois. O caçador disse ao outro irmão que acertasse num ganso em cada canto, e ele também passou no teste. Diante disso, o pai de criação exclamou:

– Muito bem! Agora vocês são mestres-caçadores.

Daí os dois irmãos foram juntos caçar na floresta. Também conversaram muito e combinaram um plano. De noite, disseram ao pai adotivo:

– Não vamos comer nada enquanto o senhor não fizer um favor.

– E qual é esse favor? – perguntou ele.

– Já aprendemos bem nosso ofício. Agora devemos enfrentar novos desafios. Queremos sair para correr o mundo.

O velho ficou feliz e respondeu:

– Vocês falam como caçadores de verdade. Era isso mesmo o que eu esperava. Podem ir. Tenho certeza de que tudo vai correr bem.

Assim, os três comeram e beberam juntos para comemorar o respeito e o amor entre eles.

Chegou o dia da partida! O pai adotivo deu a cada um uma boa arma e um cão, além das moedas de ouro. Seguiu com eles uma parte do caminho e, na despedida, deu aos dois uma faca com a lâmina muito brilhante.

– Se algum dia vocês se separarem, enfia esta faca numa árvore na encruzilhada. Assim, se um de vocês voltar, vai saber como está o irmão ausente. Saibam que o lado da lâmina que estiver na direção em que ele foi, ficará enferrujada se ele morrer. Mas, enquanto ele estiver vivo, continuará brilhante.

Os dois irmãos caminharam muito. Chegaram a uma floresta tão grande que não foi possível atravessá-la em um único dia. Pararam para passar a noite e comeram o que tinham nos seus sacos de caça. Depois, caminharam outro dia inteiro. Mas não conseguiram chegar ao fim da floresta. Não tinham mais nada para comer e um dos irmãos disse:

– Vamos ter de abater alguma caça ou passar fome.

Carregou a arma e olhou em volta. Quando uma velha lebre apareceu, ele fez pontaria. E a lebre gritou:

– Bom caçador, não me mate! Dou a você em troca dois pequenos.

Então, saiu correndo para dentro de uma moita e voltou com dois filhotes de lebre.

As lebres brincavam tão alegres e eram tão engraçadas que os caçadores não tiveram coragem de matá-las. Então, resolveram poupá-las e elas começaram a segui-los.

Daí a pouco, apareceu uma raposa. Eles iam disparar, mas a raposa gritou:

– Bom caçador, não me mate! Dou a você em troca dois pequenos.

Em seguida, trouxe duas raposinhas. De novo, os caçadores não tiveram coragem de matá-las e disseram que elas podiam fazer companhia às lebres.

Pouco tempo depois, um lobo saiu do mato. Os caçadores apontaram a arma, mas o lobo gritou:

– Bom caçador, não me mate! Dou a você em troca dois pequenos.

Os caçadores puseram os dois lobinhos com os outros animais e todos foram andando atrás deles.

Depois apareceu um urso, que queria continuar a viver e gritou:

– Bom caçador, não me mate! Dou a você em troca dois pequenos.

Os dois ursinhos foram levados para junto dos outros bichos. Agora já eram oito. E quem veio no fim de todos? Apareceu um leão, sacudindo a juba.

Mas não assustou os caçadores. Eles fizeram pontaria. Assim como os outros tinham feito, o leão disse:

– Bom caçador, não me mate! Dou a você em troca dois pequenos.

Também trouxe os dois filhotes dele. Agora os caçadores tinham dois leões, dois ursos, dois lobos, duas raposas e duas lebres que iam atrás deles e os serviam.

Só que isso não matava a fome. Então, eles disseram às raposas:

– Todo mundo sabe que vocês são espertas e sabidas. Pois então, tratem de arranjar comida para nós.

Elas responderam:

– Tem um lugar aqui perto onde já nos servimos de galinhas, uma ou duas vezes. Vamos mostrar a vocês o caminho.

Assim, eles foram lá, compraram alguma coisa para comer, deram comida também aos animais e continuaram a viagem. As raposas conheciam bem a região, porque já sondaram todos os galinheiros por ali. Por isso, sabiam sempre mostrar o caminho aos caçadores.

Os caçadores procuraram bastante. Mas não conseguiram encontrar nenhum emprego que permitisse que todos ficassem juntos. No fim, disseram:

– Assim não dá. Vamos ter de nos separar.

Dividiram os animais, de modo que cada um ficou com um leão, um urso, um lobo, uma raposa e uma lebre. Depois, despediram-se, prometeram amar-se como bons irmãos até a morte. E exatamente como o pai adotivo ensinou, enfiaram numa árvore a faca de lâmina brilhante. Depois, um foi para o Leste. O outro, para o Oeste.

Acompanhado por seus animais, um dos irmãos chegou a uma cidade que estava cheia de faixas de crepe preto dependuradas por toda parte. Foi até uma estalagem e perguntou ao dono onde podia deixar os animais.

O homem levou todos eles para um celeiro que tinha um buraco na parede. A lebre entrou pelo buraco e conseguiu um repolho. A raposa comeu uma galinha e apanhou um galo. O lobo, o urso e o leão eram grandes demais para passar pelo buraco. O homem, então, levou os três até o pasto. E lá comeram a vaca que estava deitada.

Depois que todos os animais já estavam bem alimentados e abrigados, o caçador perguntou ao estalageiro por que é que toda a cidade estava de luto. O dono da estalagem respondeu:

– Porque a filha única do nosso rei vai ter de morrer amanhã.

– Ela está assim tão doente? – perguntou o caçador.

– Não! Ela tem ótima saúde. Mas, de qualquer forma, vai morrer.

– Não entendo... como assim? – disse o caçador.

– Próxima daqui existe uma montanha, onde vive um dragão. E todos os anos ele precisa ter uma donzela imaculada. Se não, ele devasta todo o país. Todas as donzelas já foram dadas ao dragão. Agora só resta a filha do rei. Por isso, filha do rei ou não, ela não pode ser poupada. Amanhã, ela vai ser entregue ao dragão.

O caçador perguntou:

– Mas por que é que ninguém mata esse dragão?

O homem da estalagem explicou:

– É uma história muito triste. Muitos cavaleiros já tentaram, mas todos perderam a vida. O rei prometeu a mão da sua filha em casamento a quem matar o dragão. E mais o reino todo de herança.

Inconformado, o caçador não disse mais nada. No dia seguinte, saiu com os animais e escalou a montanha do dragão. Lá no alto, havia uma igreja e no altar tinha três taças, cheias até a borda. E ao lado havia uma inscrição que dizia:

"Quem esvaziar estas taças será o homem mais forte da terra e poderá brandir a espada que está enterrada do lado de fora da porta."

O caçador não bebeu. Saiu e encontrou a espada enterrada, mas não conseguiu tirá-la do lugar. Voltou e tomou todas as taças. Logo, ficou bem forte. Tirou a espada do chão e pôde usá-la à vontade.

Chegou a hora de entregar a donzela ao dragão. Junto com ela vieram o rei, o marechal e toda a corte. De longe, ela avistou alguém na montanha do dragão. Aflita, achou que era o dragão. Mas era o caçador à espera dela. Não queria subir, mas não tinha jeito. Lá foi ela fazer seu sacrifício.

O rei e os cortesãos voltaram para casa. Só o marechal ficou, pois tinha instruções de acompanhar tudo à distância.

Assim que a princesa chegou ao alto da montanha, reconheceu o jovem caçador. Ele disse que iria fazer de tudo para salvá-la do dragão.

Primeiro, ele escondeu a jovem na igreja. E trancou a porta. Enquanto isso, o dragão de sete cabeças rugiu bem forte. Mas, ao ver o caçador, perguntou:

– O que é que você está fazendo aqui na minha colina?

O caçador respondeu:

– Vim para derrotar você.

O dragão disse:

– Vários cavaleiros já morreram aqui em cima. Você será o próximo!

Em seguida, cuspiu chamas pelas suas setes goelas. Ele ateou fogo na erva seca para sufocar o caçador. Mas fracassou porque os animais pisotearam o fogo até apagar.

O dragão voltou a atacar. Rapidamente, o caçador se defendeu com a sua espada. E cortou três cabeças do monstro.

Desta vez, o dragão ficou muito furioso. Lançou no ar chamas enormes. De novo, o caçador puxou a sua espada e cortou mais três cabeças. O dragão caiu no chão. Apesar de fraco, tentou atacar mais uma vez. Em vão! O caçador cortou a cauda do monstro. Depois disso, já não podia lutar mais. Então, vieram os animais e fizeram o dragão em pedaços.

Ao fim da batalha, o caçador abriu a porta da igreja. A filha do rei estava desmaiada no chão. Assim que ela melhorou e abriu os olhos, o caçador mostrou a ela os pedaços do dragão. Ela ficou aliviada e muito feliz! E disse:

– Você será o meu querido marido! O meu pai prometeu a minha mão ao homem que matasse o dragão.

Como agradecimento, a princesa dividiu o seu colar de contas de coral entres os animais. O leão ficou com o fecho de ouro. Ao caçador, ela deu um lenço com o nome dela bordado. O caçador cortou as sete línguas do dragão, enrolou-as no lenço e guardou-as com cuidado.

Tanto o caçador como a filha do rei estavam muito cansados por causa da luta. Então, ambos foram descansar no chão mesmo.

Antes, o caçador pediu ao leão:

– Fique de guarda. Não deixe que ninguém nos ataque enquanto estivermos dormindo.

E os dois adormeceram. O leão ficou ao lado deles para montar guarda. Como também estava muito cansado da luta, chamou o urso e disse:

– Deite ao meu lado. Preciso dormir um pouco. Se acontecer alguma coisa, me acorde.

O urso ficou ao lado dele, mas também estava muito cansado. Por isso, chamou o lobo e disse:

– Deite ao meu lado. Preciso dormir um pouco. Se acontecer alguma coisa, me acorde.

O lobo deitou ao lado dele, mas também estava muito cansado. Por isso, chamou a raposa e disse:

– Deite ao meu lado. Preciso dormir um pouco. Se acontecer alguma coisa, me acorde.

A raposa deitou ao lado dele, mas também estava muito cansada. Por isso, chamou a lebre e disse:

– Deita ao meu lado. Preciso de dormir pouco. Se acontecer alguma coisa, me acorda.

A lebre sentou ao lado dela, mas, coitadinha, também estava muito cansada. Pior, não tinha ninguém para quem pudesse passar a guarda. Também não aguentou o cansaço e dormiu.

Em pouco tempo, o caçador, a filha do rei, o leão, o urso, o lobo, a raposa e a lebre estavam todos dormindo no chão.

Como o marechal, que foi instruído para acompanhar a batalha à distância, não viu o dragão sair a voar com a filha do rei, foi até a montanha e então viu o dragão estraçalhado.

Andou mais um pouco e encontrou a filha do rei e um caçador com todos os seus animais. Estavam todos dormindo profundamente.

O marechal era um homem cruel e sem fé. Cortou a cabeça do caçador com a espada, carregou a princesa e desceu a montanha com ela no colo.

Ao chegarem, ela acordou sobressaltada e o marechal disse:

– Você está em meu poder. Você tem de dizer que fui eu quem matou o dragão.

A filha do rei respondeu:

– Não posso mentir! Foi um caçador com seus animais que matou o dragão e me salvou!

O marechal odiou a resposta. Puxou a espada e ameaçou matá-la se ela não confirmar a história dele. Depois, levou a jovem ao rei. Ao ver sua filha viva, o rei não coube em si de tanta felicidade.

O marechal disse:

– Matei o dragão, salvei a sua filha e todo o reino. Agora ela tem de casar comigo, como o senhor prometeu.

O rei perguntou à filha:

– É verdade?

– É... deve ser... Mas o casamento não pode ser celebrado antes de um ano e um dia.

A princesa tinha esperança de, durante esse tempo, ter alguma notícia de seu amado caçador.

Na montanha do dragão, os animais continuavam dormindo ao lado do seu dono morto. De repente, uma abelha pousou no focinho da lebre. Ela espantou-a com a pata e voltou a dormir. A abelha veio outra vez. De novo, a lebre espantou-a e continuou a dormir. Na terceira vez, a abelha picou o focinho da lebre, então ela acordou.

Depois, a lebre acordou a raposa, e a raposa acordou o lobo, e o lobo acordou o urso, e o urso acordou o leão. Na hora que o leão acordou e viu que a filha do rei tinha desaparecido e o seu dono estava morto, deu um rugido que parecia um trovão e perguntou:

– Quem fez isto? Urso, por que é que você não me acordou?

O urso perguntou ao lobo:

– Por que é que você não me acordou?

O lobo perguntou à raposa:

– Por que é que você não me acordou?

A raposa perguntou à lebre:

– Por que é que você não me acordou?

Como a coitadinha da lebre não podia pôr a culpa em ninguém, acabou sendo a única culpada. Todos queriam castigá-la, mas ela pediu:

– Não me matem. Eu posso devolver a vida ao nosso dono. Sei de uma montanha onde cresce uma raiz milagrosa. Se a gente colocar essa raiz na boca de alguém ferido, ele fica totalmente curado de qualquer doença ou ferimento. A montanha fica a duzentas horas daqui.

O leão disse:

– Você tem vinte e quatro horas para ir e voltar com essa tal raiz.

A lebre saiu voando. E em vinte e quatro horas estava de volta com a raiz. O leão colou a cabeça do caçador e a lebre colocou a raiz na sua boca. No mesmo instante, a cabeça e o resto do corpo foram costurados e ficaram juntos. O coração voltou a bater. O caçador estava vivo!

Infelizmente, o caçador ficou desolado e muito triste porque a princesa o abandonou. Ele pensou:

– Por certo ela quis ficar livre de mim. Aproveitou que eu estava dormindo e foi embora.

Com pressa, o leão costurou a cabeça do caçador no corpo ao contrário, de trás para frente. Por volta do meio-dia, quando o caçador foi comer, notou que sua cabeça estava ao contrário.

Intrigado com tudo, o caçador perguntou aos animais o que é que tinha acontecido enquanto ele dormia. Então, o leão contou toda a história desde o início. Depois, arrancou a cabeça do caçador outra vez, e virou-a direito. E a lebre colou e tratou da ferida com a raiz da vida. Agora, ficou perfeito.

Desde esse dia, o caçador, sempre muito triste, passou a andar de um lado para o outro com os seus animais. E pedia para todos que dançassem para as pessoas.

Exatamente um ano depois, o caçador chegou à mesma cidade onde tinha salvado a princesa do dragão. Desta vez, o lugar estava todo enfeitado com faixas vermelhas.

– Que quer dizer isso? – perguntou ao dono da estalagem.

Há um ano, a cidade estava toda pendurada com faixas de luto. Agora, está toda de vermelho, por quê?

O homem explicou:

– Há um ano, a filha do nosso rei ia ser entregue ao dragão, mas nosso marechal lutou e matou o dragão. E amanhã será o casamento deles. Por isso é que a cidade estava de preto, de luto. Agora está de vermelho, de alegria.

Ao meio-dia do dia do casamento, o caçador disse ao dono da estalagem:

– O senhor acredita que eu vou comer pão da mesa do rei, bem aqui na sua casa, antes que o dia termine?

O homem respondeu:

– Aposto cem moedas de ouro em como não vai.

O caçador aceitou a aposta e colocou em cima da mesa uma bolsa que tinha exatamente as cem moedas de ouro. Depois, chamou a lebre e disse:

– Minha querida lebre, traga um pouco do pão que o rei come.

A lebre era o menor dos animais, não podia passar a ordem adiante para nenhum outro, e disse para si mesma:

– Se eu correr sozinha pelas ruas, todos os cães virão atrás de mim.

Ela tinha razão. Os cães tentaram persegui-la para comê-la. A lebre foi esperta: deu um salto enorme e conseguiu entrar na guarita da sentinela. O soldado nem percebeu.

Os cães viram tudo e latiram muito. Irritado, o soldado saiu atrás deles e bateu em alguns com a coronha da espingarda. Eles desistiram de abocanhar a lebre.

Ao ver que o caminho estava livre, a lebre correu para dentro do palácio. Chegou perto da filha do rei, sentou-se debaixo da cadeira e coçou o pé dela.

A jovem pensou que era o seu cão. E disse:

– Saia daí!

A lebre coçou o pé dela mais uma vez. E de novo a princesa disse:

– Saia daí!

A lebre não desistiu. Ao coçar o pé da filha do rei pela terceira vez, a jovem olhou para baixo da cadeira e a reconheceu pelo coral no pescoço. Pegou no bichinho ao colo, levou-o até ao seu quarto e disse:

– Minha lebre querida, o que é que eu posso fazer por você?

Ela respondeu:

– O meu dono, que matou o dragão, está vivo! Ele está na estalagem. Pediu que você mandasse um pão dos que o rei come.

A jovem ficou tão contente que, imediatamente, pediu ao padeiro que trouxesse um pão dos que o rei come.

– O padeiro tem de entregar o pão em meu lugar. Se não, os cães acabam comigo.

O padeiro levou o pão até a porta da estalagem.

Ao chegar lá, a lebre ficou de pé nas patas traseiras, pegou no pão com as patas da frente e levou-o ao seu dono. Então o caçador disse ao dono da estalagem:

– As cem moedas de ouro são minhas!

O homem ficou surpreso. E o caçador continuou:

– Sim, senhor! Tenho pão, mas agora quero um pouco da carne que o rei come.

O homem disse:

– Eis uma coisa que eu queria ver...

Mas dessa vez não propôs nenhuma aposta. O caçador chamou a raposa e disse:

– Raposinha, traga um pouco da carne assada que o rei come.

A raposa sabia todos os truques, andou sorrateira ao longo de muros e passou por buracos de cercas. Os cães nem perceberam. Ao chegar ao palácio, sentou-se debaixo da cadeira da filha do rei e coçou o pé dela. A jovem olhou e reconheceu a raposa por causa do coral no pescoço. E disse:

– Minha raposa querida, que é que eu posso fazer por você?

Ela respondeu:

– O meu dono, que matou o dragão, está vivo! Ele está na estalagem. Pediu que você mandasse um pouco da carne assada igual à que o rei come.

Imediatamente, a jovem pediu ao cozinheiro que preparasse um assado igual ao que o rei come e o levasse até a porta da estalagem. Depois, a raposa pegou na bandeja, abanou bem a cauda para espantar as moscas que vinham atrás do assado. E levou o assado até ao seu dono.

O caçador disse ao dono da estalagem:

– Como vê, senhor, tenho o pão e tenho a carne, mas agora quero a guarnição do prato, igual à que o rei come.

Chamou o lobo e disse:

– Caro lobo, traga um pouco da guarnição que acompanha esse assado igual à que o rei come.

O lobo foi direto ao palácio, porque não tinha medo de ninguém. Ao chegar perto da filha do rei, puxou o seu vestido pelas costas. Ela olhou para trás e logo reconheceu o lobo por causa do coral no pescoço.

Levou o lobo até ao seu quarto e perguntou:

– Meu lobo querido, que é que eu posso fazer por você?

O lobo respondeu:

– O meu dono, que matou o dragão, está vivo! Ele está na estalagem. Pediu que eu trouxesse um pouco da guarnição que acompanha o assado, igual à que o rei come.

Imediatamente, a jovem pediu ao cozinheiro que preparasse a guarnição igual à que o rei come. O lobo pegou a travessa e a levou ao seu dono.

O caçador disse ao dono da estalagem:

– Como o senhor vê, agora tenho pão, carne e acompanhamento. Agora também quero uma sobremesa das que o rei come.

Chamou o urso e disse:

– Caro urso, você gosta de doces. Então, traga um pouco da sobremesa que o rei come.

O urso saiu a trotar para o palácio e as pessoas iam à frente dele. Ao chegar ao portão, as sentinelas barraram o urso com as espingardas. Ele ficou de pé nas patas traseiras e bateu nas orelhas deles com as patas, para a direita e para a esquerda. Todos os guardas caíram. Aproveitou e foi até onde estava a filha do rei, ficou atrás dela e deu uma rosnada suave. Ela olhou para trás, reconheceu o urso e pediu que a seguisse até ao seu quarto e disse:

– Meu querido urso, que é que eu posso fazer por você?

Ele respondeu:

– O meu dono, que matou o dragão, está vivo! Ele está na estalagem. Ele pediu um pouco da sobremesa igual à que o rei come.

Ela ordenou ao pasteleiro que preparasse uns doces como aqueles que o rei comia de sobremesa e os levasse até a porta da estalagem. Primeiro, o urso lambeu umas ameixas açucaradas que enfeitavam os doces. Depois, levantou-se nas patas de trás, pegou a travessa e a levou até o dono.

O caçador disse ao dono da estalagem:

– Como você vê, agora tenho pão, carne, acompanhamento e sobremesa, mas ainda quero um pouco do vinho que o rei bebe.

Chamou o leão e disse:

– Caro leão, você gosta de beber de vez em quando. Traga, então, um pouco do vinho igual ao que o rei toma.

O leão saiu passando pela rua e as pessoas correram para tudo quanto era lado. Ao chegar ao palácio, os guardas tentaram impedi-lo de entrar. Ele deu um rugido e eles fugiram a sete pés. A seguir, foi até aos aposentos reais e bateu à porta com o rabo. A filha do rei abriu e levou um susto ao ver o leão, mas logo o reconheceu pelo fecho de ouro do seu colar de coral. Pediu a ele que a acompanhasse até ao quarto e perguntou:

– Meu leão querido, que é que eu posso fazer por você?

Ele respondeu:

– O meu dono, que matou o dragão, está vivo! Ele está na estalagem. Ele pediu um pouco do vinho que o rei bebe.

Imediatamente, ela mandou chamar o encarregado da adega e ordenou que desse ao leão um pouco do vinho igual ao que o rei bebia. Mas o leão disse:

– É melhor eu ir com ele até a adega para ter certeza de que dará o vinho certo.

O funcionário pegou um pouco de vinho comum, daquele que os criados bebiam. O leão provou o vinho e disse:

– Não. Este não é o vinho certo.

O encarregado da adega foi até outro barril e pegou o vinho reservado para o marechal do rei. O leão provou e disse:

– Este é melhor, mas ainda não é o vinho certo.

O encarregado da adega ficou furioso. E disse:

– Como é que um animal estúpido como você pode querer entender alguma coisa de vinho?

O leão deu uma patada atrás da orelha dele. O empregado caiu no chão com a força da patada. Ao se levantar, não disse nada e levou o leão até uma pequena adega separada. Lá era onde ficava guardado o vinho especial do rei, que ninguém jamais tocava. O leão tirou meio litro e provou. Depois, disse:

– Ah, este, sim, deve ser o vinho certo.

Então, o leão pediu ao encarregado da adega que enchesse meia dúzia de garrafas. De tanto provar vinho, o leão ficou ligeiramente bêbado e balançava de um lado para outro. O encarregado da adega teve de carregar o vinho até a porta. O leão segurou a alça da cesta nos dentes e levou o vinho até ao seu dono.

O caçador disse ao dono da estalagem:

– Como você vê, agora tenho pão, carne, acompanhamentos, sobremesa e vinho, como o rei, e agora vou jantar com meus animais.

Sentou-se, comeu e bebeu, dividindo a comida e a bebida com a lebre, a raposa, o lobo, o urso e o leão. Estava feliz porque acreditava que a filha do rei ainda o amava.

Quando acabou a refeição, disse para o dono da estalagem:

– Como vê, senhor, comi e bebi como o rei come e bebe. Agora, vou até ao palácio do rei casar com a filha dele.

O homem disse:

– Como é que pode? Ela está noiva, vai se casar hoje mesmo.

O caçador tirou do bolso o lenço que a filha do rei tinha dado a ele lá na montanha do dragão. As sete línguas do monstro ainda estavam embrulhadas no lenço.

– Vou conseguir com a ajuda do que tenho aqui na mão.

O homem olhou para o lenço e duvidou:

– Não acredito que consiga. Aposto a minha estalagem!

O caçador tirou da cintura uma bolsinha com mil moedas de ouro, colocou-a em cima da mesa e disse:

– Aposto isto aqui contra a sua estalagem.

Enquanto isso, o rei e a filha estavam sentados à mesa real.

– Filha, o que é que todos aqueles animais que entravam e saíam do palácio queriam com você? – perguntou.

Ela respondeu:

– Estou proibida de contar, mas seria bom o senhor buscar o dono desses animais.

O rei mandou um criado ir até a estalagem convidar o estranho para vir até ao palácio. O criado chegou no momento em que o caçador tinha acabado de fazer sua aposta com o dono da estalagem.

O caçador disse ao homem:

– Como você vê, o rei mandou o seu criado a me levar ao palácio, mas eu não vou assim.

E respondeu ao criado:

– Por gentileza, pede ao rei que me mande trajes reais e uma carruagem com seis cavalos e criados que me sirvam.

Quando o rei ouviu a resposta, perguntou à filha:

– Que é que eu faço agora?

– Seria bom que o senhor mandasse buscá-lo, como ele pediu – respondeu.

Então, o rei mandou os trajes reais, a carruagem com seis cavalos e criados para servi-lo. Quando o caçador os viu chegar, disse ao dono da estalagem:

– Como você vê, mandaram-me buscar do jeito que pedi.

Vestiu os trajes reais, agarrou no lenço com as línguas do dragão e foi para o palácio. Ao ver o caçador chegar, o rei perguntou à filha:

– Como devo recebê-lo?

– Seria bom o senhor ir ao encontro do caçador – respondeu.

O rei foi ao encontro do caçador e convidou-o a entrar. Os animais foram atrás. O rei mandou que ele se sentasse a seu lado, perto da filha.

Do outro lado estava sentado o marechal, porque era o noivo, mas não reconheceu o caçador. Então trouxeram as sete cabeças do dragão para mostrar a todos, e o rei disse:

– O marechal cortou estas sete cabeças do dragão. Portanto, dou a mão da minha filha em casamento ao marechal.

O caçador levantou-se, abriu as sete bocas e perguntou:

– O que é que aconteceu às sete línguas do dragão?

O marechal ficou pálido de susto! E arriscou dizer que os dragões não têm línguas.

O caçador disse:

– Seria muito melhor se quem não tivesse língua fossem os mentirosos. As línguas de um dragão são a presa do matador do dragão.

Abriu o lenço e lá estavam as sete línguas. Aí ele colocou cada uma das línguas na boca de que se encaixava. E todas se ajustaram perfeitamente. Depois, ele pegou o lenço que tinha o nome da filha do rei bordado, mostrou para a princesa e perguntou a quem ela o tinha dado.

Ela respondeu:

– Ao homem que matou o dragão.

Em seguida, ele chamou os animais, pegou nos cordões de coral e no fecho de ouro do leão, mostrou tudo à filha do rei e perguntou-lhe a quem pertenciam.

Ela respondeu:

– O colar e o fecho de ouro eram meus. Eu dividi-os entre os animais que ajudaram o caçador a matar o dragão.

– Quando eu estava exausto e me deitei para descansar depois do combate, o marechal veio e cortou a minha cabeça enquanto eu dormia. Depois, pegou sua filha e inventou que quem tinha matado o dragão era ele. É mentira, como eu já provei com as línguas, o lenço e o colar.

Em seguida, contou toda sua história. Contou como os animais o tinham salvado com uma raiz milagrosa, como ele tinha andado à deriva durante um ano até voltar à mesma cidade. Como soube pelo dono da estalagem que o marechal estava enganando todo mundo, o rei perguntou à filha:

– É verdade que quem matou o dragão foi este jovem?

– Sim! Agora posso falar sobre o crime do marechal, pois ele me obrigou a guardar segredo. Por isso é que eu insisti para que o casamento não fosse celebrado antes de um ano e um dia.

O rei mandou reunir os seus doze conselheiros e pediu que julgassem o marechal. Ele foi condenado a ser esquartejado por quatro bois. Assim, o marechal foi executado. E o rei deu a mão da filha ao caçador, que também foi nomeado regente de todo o reino.

O casamento foi celebrado com muita pompa e alegria. Para completar a sua felicidade, o jovem rei mandou chamar o pai verdadeiro e o pai adotivo. Reservou muitos presentes para eles.

Também não se esqueceu do dono da estalagem. Mandou buscá-lo. Ao recebê-lo, disse:

– Como vê, senhor, casei-me com a filha do rei. Agora, a sua estalagem é minha.

– De direito, é mesmo – concordou o homem.

Mas o jovem rei disse:

– A misericórdia é mais importante que o direito. O senhor pode ficar com a sua estalagem. E faço questão de dar também as mil moedas de ouro de presente.

Assim, tudo ficou em paz com o jovem rei e a jovem rainha, que viveram felizes para sempre. Ele ia sempre caçar junto com seus fiéis animais.

Acontece que havia uma floresta, não muito distante do palácio, que tinha fama de ser encantada. O que se contava é que quem entrava lá custava muito a sair. Mas o jovem rei queria muito caçar naquele lugar. Teimou tanto que o velho rei permitiu que ele fosse. Então, partiu com um grupo de homens.

Ao chegar à floresta, viu uma corça branca e disse a seus homens:

– Fiquem aqui até que eu volte. Vou caçar aquela bela corça.

Entrou na floresta e apenas os seus animais o seguiram. Os homens esperaram até anoitecer. Como ele não voltava, eles foram para casa e disseram à jovem rainha:

– O jovem rei foi perseguir uma corça branca na floresta encantada e não voltou mais.

Ela ficou muito preocupada. Enquanto isso, ele perseguia a corça branca, mas não conseguia alcançá-la. Às vezes, ela parecia estar ao alcance de um tiro, mas quando ele fazia pontaria e ia atirar, de repente ela dava saltos mais distantes. Até que sumiu.

Ao se dar conta que se afastou muito, o jovem rei pegou na sua trompa de caça e tocou. Mas nenhum dos seus homens ouviu. Decidiu, então, passar a noite ali mesmo com seus animais. Amarrou o cavalo e acendeu uma fogueira debaixo de uma árvore.

De repente, ouviu uma voz humana. Olhou em volta, mas não viu ninguém. Depois, ouviu um gemido que parecia vir do alto. Olhou e viu uma velha sentada na árvore:

– Ai, ai! Estou com muito frio. E chorava...

– Desça e venha se aquecer – chamou.

– Tenho medo que seus animais me mordam.

– Não se preocupe, vovozinha. Eles são mansos, não vão atacá-la. A senhora pode descer.

Acontece que a velha era uma bruxa e disse:

– Vou quebrar uma varinha e jogá-la abaixo. Bate nas costas dos seus bichos, que assim eles não me atacam.

Ela atirou a varinha e ele bateu nos animais. Imediatamente, eles viraram pedra. Sem os animais para atrapalhar, ela pulou e tocou também no caçador com a varinha. Na hora, ele também virou estátua de pedra.

Em seguida, ela arrastou o jovem rei e os animais para um barranco onde já havia uma porção daquelas pedras. E dava aquelas gargalhadas horríveis.

O tempo passava e a jovem rainha mais preocupada. Nessa mesma ocasião, o outro irmão do jovem rei, que tinha ido para o leste quando se separaram, estava próximo desse reino.

Depois de procurar emprego sem encontrar, resolveu ir de vila em vila com os animais, que dançavam para distrair as pessoas. Passado um tempo, ele se lembrou da faca que eles tinham enfiado no tronco da árvore quando se separaram. E resolveu ir até lá para saber como estava o irmão. Ao chegar lá, viu que a lâmina do lado que correspondia ao irmão estava metade enferrujada e metade brilhante.

Ele desconfiou que algo de mal havia acontecido a seu irmão. Decidiu ir procurá-lo para salvá-lo. Afinal, metade da lâmina está brilhante.

Saiu caminhando para oeste com os animais e, ao chegar aos portões da cidade, uma sentinela perguntou se queria que anunciasse sua chegada para a jovem rainha, sua mulher. Ela temia que ele tivesse morrido na floresta encantada. Como o jovem rei e o irmão eram tão parecidos, o guarda não percebeu nada diferente, ainda mais porque o irmão também andava com aquele bando de animais selvagens. Ele percebeu a confusão e pensou: é melhor eu fazer de conta que sou ele, assim fica mais fácil salvá-lo.

Assim, ele foi recebido com muita alegria. A jovem rainha também não desconfiou que ele não fosse o seu marido. Mas perguntou por que ele tinha demorado tanto.

– Eu me perdi na floresta e foi difícil encontrar o caminho de volta – respondeu.

À noite, na cama real ele colocou uma espada de dois gumes entre os dois. A jovem rainha não sabia a razão, mas ficou com receio de perguntar.

Durante alguns dias, ele tentou descobrir tudo o que podia sobre a floresta encantada. De repente, ele anunciou que iria voltar lá para caçar.

O rei e a jovem rainha não queriam que ele fosse de jeito nenhum. Mas ele teimou e partiu com um grande grupo de homens. Ao chegar à floresta, aconteceu com ele a mesma coisa que tinha acontecido ao irmão. Viu uma corça branca e disse aos seus homens:

– Fiquem aqui até eu voltar. Vou caçar essa bela corça branca.

Cavalgou para dentro da floresta, seguido pelos animais. Mas não conseguiu alcançar a corça. Teve também de passar a noite por lá. Depois de acender a fogueira, ouviu alguém gemendo no alto:

– Ai, ai! Estou com muito frio. E chorava...

Ele olhou para cima, viu a bruxa na árvore e disse:

– Desça e venha aquecer-se!

– Não. Os seus animais podem me morder.

Ele respondeu:

– Não se preocupe, vovozinha. Eles são mansos e não vão mordê-la. A senhora pode descer.

Então ela disse:

– Vou quebrar uma varinha e jogá-la abaixo. Bate nas costas deles, que assim não me atacam.

Ao ouvir isso, o caçador desconfiou da velha:

– Não vou bater nos meus animais. Desce já ou eu subo aí para pegá-la – disse.

– Não me faças rir... Você não pode fazer nada – disse a velha.

Ele, então, ameaçou:

– Se não descer, vou atirar.

– Você pode atirar! Não tenho medo nenhum das suas balas – desafiou.

Ele mirou bem e atirou, mas a bruxa era à prova de balas. Deu gargalhadas horríveis e gritou:

– Você não consegue me matar!

Acontece que o caçador era muito esperto. Arrancou três botões de prata do casaco e carregou a arma com eles, porque contra a prata não havia poder mágico. Na hora que ele puxou o gatilho, ela caiu aos berros. Ele colocou o pé em cima dela e disse:

– Sua bruxa velha, se não me disser onde está o meu irmão, eu agarro a senhora e a jogo no fogo!

Ela ficou com tanto medo que pediu clemência e disse:

– Ele e os animais estão jogados naquele barranco, transformados em pedra.

Ele obrigou a velha a levá-lo até o lugar e a ameaçou:

– Sua bruxa velha! Devolve a vida imediatamente ao meu irmão e a todas as criaturas que estão aí. Ou então vai para o fogo!

Ela pegou uma varinha e tocou nas pedras. O irmão e os animais voltaram à vida. E muitos outros homens também, mercadores, artesãos, pastores.

Todos se levantaram, agradeceram ao caçador por libertá-los e foram para casa. Os gêmeos abraçaram-se e beijaram-se, muito felizes pelo reencontro.

Depois, agarraram e amarraram a bruxa e a jogaram na fogueira. Assim que ela acabou de arder, a floresta abriu-se sozinha e deu para avistar o palácio real, a mais ou menos quatro ou cinco quilômetros dali.

Os dois irmãos voltaram juntos e, pelo caminho, foram contando o que tinha acontecido com cada um. Quando o mais jovem disse que era regente de todo o país, o outro disse:

– Eu descobri, porque, quando eu cheguei ao palácio e me confundiram com você, me deram honras reais. A jovem rainha achou que eu era o marido dela, e tive de me sentar ao lado dela na mesa e dormir na cama dela.

Quando o jovem rei ouviu isso, ficou tão zangado e com tanto ciúme que puxou a espada e cortou a cabeça do irmão. Ao ver o sangue escorrendo e o irmão sem sentidos, ele se desesperou e se arrependeu do que fez.

– O meu irmão me salvou! E foi assim que o agradeci – gritava.

De repente, a lebre aproximou-se dele e ofereceu-se para ir buscar um pouco da raiz da vida. Saiu voando e voltou rapidinho. Deu para salvar o irmão. Ele nem percebeu a cicatriz. Depois, continuaram a andar e o irmão disse:

– Você se parece comigo, está usando roupas reais como eu e os animais seguem você como me seguem. Vamos entrar por dois portões opostos e aparecer ao mesmo tempo diante do velho rei, vindo de direções diferentes.

Assim, os irmãos se separaram. Depois, duas sentinelas, uma de cada portão, chegaram ao mesmo tempo junto do velho rei para anunciar que o jovem rei e os seus animais voltaram da caçada. O velho rei disse:

– Impossível! Os dois portões ficam longe um do outro, é uma caminhada de uma hora.

Nessa hora, os dois irmãos entraram no pátio, vindos de duas direções opostas. Ambos subiram as escadas ao mesmo tempo. O rei disse à filha:

– Diga-me qual dos dois é seu marido. São tão iguais que não sei.

Ela ficou muito nervosa e não conseguia reconhecer o marido. De repente, ela se lembrou do colar que tinha dado aos animais. Olhou bem para eles e descobriu o fecho de ouro num dos leões.

– O meu marido é aquele que este leão seguir – disse, aliviada e feliz.

O jovem rei riu e disse:

– É, está certo.

Finalmente, tudo acabou bem! Todos se sentaram juntos à mesa, comeram, beberam e divertiram-se.

Nessa noite, quando o jovem rei foi para a cama, a mulher perguntou:

– Por que é que você colocou uma espada de dois gumes entre nós na cama nestas últimas noites? Pensei que você pretendia me matar...

Foi assim que o jovem rei soube como seu irmão tinha sido fiel a vida toda.

A NOIVA DO COELHINHO

Uma mulher e sua filha tinham uma linda horta cheia de repolhos. Em um certo dia de inverno, apareceu um pequeno coelho e comeu toda a plantação. Nisso, a mãe falou para a filha:

– Vá lá até a horta e expulse o coelho de lá.

A garota disse para o coelho:

– Ei, você está acabando com os nossos repolhos.

O coelho respondeu:

– Venha aqui, garotinha, sente-se no meu rabinho e vamos juntos para a toca onde eu moro.

Só que a garota não quis acompanhá-lo. No dia seguinte, o coelho apareceu novamente e comeu mais repolhos. Então, a mãe disse para a filha:

– Vá lá até a horta e expulse o coelho de lá.

A garota foi lá e disse para o coelho:

– Ei, coelhinho, você continua comendo todos os nossos repolhos!

O coelhinho respondeu:

– Venha aqui, garotinha, sente-se no meu rabinho e vamos juntos para a toca onde eu moro.

Ela recusou novamente o convite.

O coelhinho apareceu pela terceira vez e novamente comeu os repolhos. Diante disso, a mãe pediu para a filha:

– Vá até a horta e expulse aquele coelho!

A garota disse para o coelho:

– Ei, você continua comendo todos os nossos repolhos.

O coelhinho respondeu:

– Venha aqui, garotinha, sente-se no meu rabinho, e vamos juntos para a toca onde eu moro.

Finalmente, a garota decidiu se sentar no rabo do coelho. E então, o coelhinho a levou para conhecer a sua pequena toca, e pediu:

– Agora, quero que você prepare para mim uma panela de repolho e milho verde. E eu vou chamar os convidados para o nosso casamento.

Então, todos os convidados do casamento chegaram. Compareceram muitos coelhos, e o corvo era o padre que faria a cerimônia. O altar ficava embaixo do arco-íris e a raposa era o sacristão.

Mas a garota estava triste, porque ela estava muito sozinha, não tinha outras pessoas para conversar. Queria voltar para casa. O coelhinho chegou e disse:

– Abram as portas, abram as portas, os convidados do casamento estão felizes.

A noiva não disse nada, só chorava. O coelhinho foi embora. Depois, retornou e disse:

– Abram as portas, abram as portas. Os convidados estão com fome.

A noiva novamente não falou nada e só chorou. O coelhinho saiu dali e voltou pouco depois, falando:

– Abram as portas, abram as portas, os convidados estão esperando.

A noiva não disse nada, e o coelhinho foi embora de novo.

Em seguida, a garota fez uma boneca de palha e vestiu-a com suas roupas. Colocou na mão da boneca uma colher, e a deixou perto da panela onde colocou o milho e repolho. Em seguida, ela fugiu e voltou para a casa da mãe dela.

O coelhinho retornou mais uma vez e disse:

– Abram as portas, abram as portas! – e bateu na cabeça da boneca, deixando a touca dela cair.

Então, o coelhinho percebeu que não era a sua noiva. Ele ficou muito triste, foi embora e nunca mais voltou para comer repolhos.

OS SETE CORVOS

Ilustração de Walter Crane

Havia um homem que tinha sete filhos homens. Embora amasse todos eles, não era completamente feliz porque desejava muito ter uma filha.

Esse dia chegou: nasceu uma linda menininha para a alegria dos pais. Infelizmente, a alegria depressa se transformou em tristeza, porque a menina era muito pequenina e muito fraca. Então, os pais resolveram batizá-la logo.

– Leve esta botija e vá à fonte buscar água para batizarmos a sua irmã – ordenou o pai a um dos filhos.

O jovem saiu rapidamente e os irmãos foram juntos com ele. Como todos queriam encher a botija, acabaram deixando-a cair no chão, quebrando-se em mil pedacinhos. Desesperados e sem coragem para enfrentar o pai, ficaram paralisados de tanto medo e inconformados com o acidente.

O pai estranhou tanta demora dos filhos.

– Devem estar se divertindo e esqueceram de trazer a botija com água – pensou ele.

O tempo passava e nada dos meninos. Cada vez mais aflito, com receio que a filhinha morresse sem ser batizada, o pai gritou:

– Ah! Estes meus filhos não têm mais juízo do que um pássaro. Por que foi que não nasceram corvos?

Assim que acabou a frase, ouviu um bater de asas sobre a sua cabeça. Olhou para cima e viu sete corvos, tão negros como o carvão, que atravessavam o céu e desapareceram no horizonte.

O homem compreendeu o que se passou. As palavras que, sem querer, ele disse se tornaram realidade. Já não podia voltar atrás...

Os pais ficaram profundamente tristes com o desaparecimento dos filhos. A tristeza foi aliviada com a presença da filha que, dia após dia, ficava mais forte e mais bonita.

Os anos se passaram sem que a menina soubesse que tinha irmãos. Os pais nunca contaram nada para ela. Um dia, porém, ouviu a conversa de duas vizinhas:

– É muito linda, na verdade, mas também é responsável pela desgraça que aconteceu aos sete irmãos.

A menina ficou muito espantada com o que ouviu. Correu para casa e interrogou os pais. Eles, então, resolveram revelar o segredo e contaram a ela que tudo que aconteceu foi obra da fatalidade. Mesmo assim, a menina se culpava pelo sofrimento da família.

A partir daquele dia, a menina só pensava em encontrar irmãos e como libertá-los do feitiço que caiu sobre eles. Um dia fugiu de casa, decidida a correr o mundo para achar os irmãos. Como recordação dos pais levou um anel que a mãe deu pra ela. Levou também bastante comida para matar a fome, uma garrafa de água e uma esteira para descansar.

A menina andou, andou até que chegou ao fim do mundo. Era lá que moravam o sol, a lua e as estrelas. Entrou primeiro na casa do sol. Fazia um calor horrível e o sol estava com um ar tão zangado que a menina se assustou e fugiu. A seguir, entrou na casa da lua. Estava frio e a lua dirigiu um olhar gelado.

Desapontada, ela foi abrigar-se na casa das estrelas.

As estrelas eram amáveis e receberam a menina com simpatia. Sentaram-se à sua volta, cada uma no seu banquinho e perguntaram a ela qual era o motivo da sua visita. Depois de a ouvirem, pensaram numa forma de ajudá-la a encontrar os irmãos.

Por fim, a Estrela da Manhã levantou-se, foi buscar uma chave e deu para a menina.

– Esta é a chave que abre a porta da montanha de vidro.

É lá que estão os teus irmãos – disse a Estrela da Manhã.

A menina enrolou a chave no lenço e partiu. Depois de muito andar, chegou à montanha de vidro. A porta estava trancada como as estrelas tinham dito. Ao desenrolar o lenço, viu que tinha perdido a chave. Não desistiu de tentar ajudar os irmãos. Para isso, tinha de entrar na montanha de qualquer jeito!

Com uma faca talhou num pedaço de madeira uma chave mais ou menos do tamanho e formato da que tinha perdido. Experimentou-a na fechadura com muito cuidado. Deu certo: a porta abriu!

Muito contente, entrou na montanha. Pouco depois, encontrou um anãozinho que perguntou a ela:

– Quem você procura, menina?

– Quero encontrar os sete corvos que são os meus irmãos – respondeu.

– Os sete corvos não estão em casa. Mas pode entrar e esperar por eles.

A menina entrou na sala que o anão indicou e viu em cima da mesa sete pratos e sete canecas pequeninas. O anão começou a servir o jantar dos corvos. De cada um dos pratos a menina comeu um pouco de comida e bebeu um gole de cada uma das canecas.

Quando chegou à última caneca colocou lá dentro o anel que carregava de lembrança dos pais.

De repente, ouviu-se o barulho de asas batendo.

– Os senhores corvos estão chegando – disse o anão.

A menina correu para trás da porta e escondeu-se. Os corvos entraram e voaram direto à comida, cheios de fome.

– Quem bebeu da minha caneca? – perguntou um deles.

– Quem comeu do meu prato? – perguntou outro.

– Esteve aqui alguém! – disse o terceiro.

Os corvos, mortos de fome, comeram e beberam desesperadamente!

Quando o sétimo corvo bebeu o último gole da sua caneca, descobriu o anel e viu que era o mesmo que a mãe costumava usar.

– Seria tão bom se a nossa irmãzinha estivesse aqui, porque ficaríamos livres do nosso feitiço! – disse ele.

Na hora, a menina saiu do esconderijo e os corvos voltaram à forma humana.

Felizes da vida, os irmãos se beijaram e se abraçaram. Depois de tanta emoção, foram juntos correndo para casa. Agora, sim, a família estava completa e muito feliz.

Ilustração de Remmett Owen

RAPUNZEL

Era uma vez um casal que há muito tempo desejava ter um filho. Porém, os anos se passavam, e o seu sonho não se realizava. Um belo dia, finalmente, a mulher percebeu que Deus ouvira as suas preces. Um bebê estava a caminho!

Por uma janelinha da casa onde moravam, era possível ver, no quintal vizinho, um magnífico jardim cheio das mais lindas flores e das mais viçosas hortaliças. Pertencia a uma feiticeira muito temida e poderosa e o terreno era rodeado por um muro altíssimo, que ninguém se atrevia a escalar.

Um dia, espiando pela janelinha, a mulher admirou-se ao ver um canteiro cheio dos mais belos pés de rabanete que jamais imaginara. As folhas eram tão verdes e fresquinhas que lhe abrira o apetite, e sentiu um enorme desejo de provar os rabanetes.

A cada dia seu desejo aumentava mais. Mas ela sabia que não havia forma de conseguir o que queria e por isso foi ficando triste, abatida e com um aspecto doentio. Um dia o marido ficou preocupado e perguntou:

– O que se passa contigo, querida?

– Ah! Se não comer um rabanete do jardim da feiticeira, acho que vou morrer! – respondeu a mulher.

O marido, que a amava muito, pensou: "Não posso deixar a minha mulher morrer... Tenho que conseguir esses rabanetes, custe o que custar!"

Ao anoitecer, encostou uma escada no muro, pulou para o quintal vizinho, arrancou apressadamente um punhado de rabanetes e levou-os para a mulher. Muito rapidamente, preparou-lhe uma salada, que ela comeu deliciada.

Ela achou o sabor da salada tão bom, mas tão bom, que no dia seguinte o seu desejo de comer rabanetes ficou ainda mais forte. Para sossegá-la, o marido prometeu a ela que iria buscar mais um pouco.

Quando a noite chegou, pulou novamente o muro. Mas, mal pisou o chão do outro lado, levou um susto e tanto: de pé, diante dele, estava a feiticeira, que ameaçou:

– Como se atreve a entrar no meu quintal como um ladrão, para me roubar os rabanetes? Vai ver só o que o espera!

– Oh! Tenha piedade! Só fiz isso porque fui obrigado! A minha mulher viu os rabanetes pela nossa janela e sentiu tanta vontade de comê-los, mas tanta vontade, que falou que morrerá se eu não levar alguns! – contou o homem.

A feiticeira acalmou-se e disse:

– Se é como diz, deixo levar os rabanetes que quiser, mas com uma condição: vai me dar a criança que a sua mulher vai ter. Cuidarei dela como se fosse sua própria mãe, e nada lhe faltará.

O homem estava tão apavorado que concordou. Pouco tempo depois, o bebê nasceu. Era uma menina. A feiticeira surgiu no mesmo instante, deu à criança o nome de Rapunzel e levou-a embora.

Rapunzel cresceu e tornou-se a mais bela criança do reino. Quando fez doze anos, a feiticeira trancou-a no alto de uma torre, no meio da floresta.

A torre não possuía nem escada, nem porta: apenas uma janelinha, no lugar mais alto. Quando a velha desejava entrar, punha-se debaixo da janela e gritava:

– Rapunzel, Rapunzel! Atire as tuas tranças!

Rapunzel tinha magníficos cabelos compridos, finos como fios de ouro. Quando ouvia a velha a chamar, abria a janela, desenrolava as tranças e atirava para baixo. As tranças caíam vinte metros abaixo, e a feiticeira subia por elas.

Alguns anos depois, o filho do rei estava cavalgando pela floresta e passou perto da torre. Ouviu uma canção tão linda que parou, encantado.

Rapunzel, para espantar a solidão, cantava para si mesma com sua doce voz.

Imediatamente o príncipe quis subir, procurou uma porta por toda parte, mas não encontrou. Inconformado, voltou para casa. Mas o maravilhoso canto tocara-lhe o coração de tal maneira que ele começou a ir para a floresta todos os dias, querendo ouvir outra vez.

Numa dessas vezes, o príncipe estava descansando atrás de uma árvore e viu a feiticeira aproximar-se da torre e gritar:

– Rapunzel, Rapunzel! Atire as tuas tranças! – E viu a feiticeira subir pelas tranças.

– É essa a maneira de falar com ela? Pois eu vou tentar a sorte também – pensou o príncipe.

No dia seguinte, quando escureceu, ele aproximou-se da torre e por baixo da janelinha, gritou:

– Rapunzel, Rapunzel! Atire as suas tranças!

As tranças caíram pela janela abaixo, e ele subiu.

Rapunzel ficou muito assustada ao vê-lo entrar, pois jamais tinha visto um homem.

Mas o príncipe falou-lhe com muita doçura e contou como seu coração ficara transtornado desde que a ouvira cantar. Explicou que não tivera sossego enquanto não a conhecesse.

Rapunzel foi se acalmando, e quando o príncipe lhe perguntou se o aceitava como marido, reparou que ele era jovem e belo, e pensou: "É mil vezes melhor morar com ele do que com a feiticeira." – E, pondo a mão dela sobre a dele, respondeu:

– Sim! Eu quero ir com você! Mas não sei como descer... Sempre que me vier ver, traz-me uma meada de seda. Com ela vou fazer uma trança comprida. Quando ficar pronta, eu desço, e me leva no seu cavalo.

Combinaram que ele viria sempre ao cair da noite, porque a feiticeira costumava aparecer durante o dia. Assim foi, e a feiticeira de nada desconfiava até que um dia Rapunzel, sem querer, lhe perguntou:

– Diga-me, senhora, como é que demora tanto para subir, quando o jovem filho do rei chega aqui num instantinho?

– Ah, menina danada! Pensei que a tinha isolado do mundo, e você me engana? – esbravejou a feiticeira.

Na sua fúria, agarrou Rapunzel pelos cabelos, deu uns safanões e, com a outra mão, pegou uma tesoura e cortou as belas tranças, largando-as no chão.

Não contente, a malvada levou a pobre menina para o deserto, onde a abandonou, para que passasse todo tipo de privação e sofrimento.

Na tarde do mesmo dia em que expulsou Rapunzel, a feiticeira prendeu as longas tranças num gancho da janela e ficou à espera. Quando o príncipe veio e chamou: "Rapunzel! Rapunzel! Atire as tuas tranças!", a feiticeira deixou as tranças caírem para fora e ficou à espera.

Ao entrar, o pobre rapaz não encontrou sua querida Rapunzel, mas sim a terrível feiticeira. Com um olhar chamejante de ódio, ela gritou zombeteira:

– Ah, ah! Veio buscar a sua amada? Pois a linda avezinha já não está no ninho, nem canta mais! O gato apanhou-a, levou-a, e agora vai lhe arranhar os olhos! Nunca mais verás Rapunzel! Ela está perdida para você!

Ao ouvir isso, o príncipe ficou fora de si e, em desespero, atirou-se pela janela. O jovem não morreu, mas caiu sobre espinhos que lhe furaram os olhos e o cegaram.

Desesperado, ficou perambulando pela floresta, alimentando-se apenas de frutos e raízes, sem fazer outra coisa senão lamentar-se e chorar a perda da amada.

O tempo passou. Um dia, por acaso, o príncipe chegou ao deserto onde Rapunzel vivia, na maior tristeza, com os seus filhos gêmeos, um menino e uma menina, que eram filhos do príncipe.

Ouvindo uma voz que lhe pareceu familiar, o príncipe caminhou na direção de Rapunzel. Assim que chegou perto, ela logo o reconheceu e o abraçou chorando.

Duas das lágrimas da Rapunzel caíram nos olhos dele e, no mesmo instante, o príncipe recuperou a visão e conseguiu ver tão bem quanto antes.

O príncipe levou Rapunzel e as crianças para seu castelo, onde foram recebidos com grande alegria. Ali viveram felizes para sempre.

O CÃO E O PARDAL

Ilustração de Walter Crane

Era uma vez, um cão pastor que tinha um dono muito mau, que não lhe dava comida suficiente e o deixava passando fome. Certo dia, não podendo mais suportar esse tratamento, o cão resolveu ir embora, apesar por sentir muita tristeza. Pelo caminho, encontrou um pardal, que perguntou:

– Por que está assim tão triste, meu irmão?

– Estou com fome e não tenho o que comer – respondeu o cão.

– Se o mal é esse, vem comigo à cidade e eu lhe arranjarei o que comer! – disse o pardal.

E assim foram os dois juntos para a cidade. Quando chegaram diante de um açougue, o pardal disse:

– Espere aqui bem quietinho, enquanto vou bicar um pedaço de carne.

Voando para dentro do açougue, pousou sobre o balcão; depois de se certificar de que ninguém o estava observando, o pardal foi puxando com o bico um pedaço de carne para o beiral, até que caiu ao chão. O cão agarrou rapidamente e foi devorá-lo num canto.

– Agora vamos para outro açougue – disse o pardal –, vou tirar outro pedaço de carne para que fique satisfeito.

Nesse açougue repetiu-se a mesma coisa e, quando o cão devorou também o segundo pedaço, o pardal lhe perguntou:

– Agora está satisfeito, meu irmão?

– Sim, de carne estou, mas ainda não provei pão. – respondeu o cão.

Foram até uma padaria e o pardal arrastou com o bico dois pães. Como o companheiro pediu mais, levou-o a outra padaria, onde lhe derrubou mais dois pães. Quando acabou de comer, o pardal lhe perguntou:

– Está satisfeito, meu irmão?

– Sim, agora estou – respondeu o cão. – Vamos dar um passeio fora da cidade.

E saíram os dois pela estrada afora. O calor era intenso e não tinham ainda ido muito longe quando, chegando a uma curva, o cão disse:

– Estou cansado e gostaria de dormir um pouco.

– Está bem – disse o pardal –, durma à vontade; enquanto isso ficarei pousado naquele galho.

O cão deitou-se quase no meio da rua e pegou num sono profundo. Daí a pouco, chegava um carroceiro guiando uma carroça puxada por três cavalos carregada de barris do vinho. O pardal viu que o carroceiro não desviava do lugar onde estava dormindo o cão e ia passar por cima dele. Então gritou:

– Carroceiro, não faça isso! Do contrário o reduzirei à miséria.

Mas o carroceiro resmungou:

– Ora, não será você que me levará à miséria! – estalou o chicote e dirigiu a carroça bem por cima do cão, matando-o.

Então o pardal gritou:

– Matou o meu irmão! Isto vai lhe custar a carroça e os cavalos.

– Oh, sim! A carroça e os cavalos! Que mal pode me fazer você, passarinho bobo? – desafiou o carroceiro.

E continuou chicoteando os cavalos, sem se preocupar. O pardal penetrou embaixo da lona que cobria a carroça e começou a bicar um dos barris até que a rolha pulou fora e o vinho começou a escorrer sem que o carroceiro percebesse. Uma hora, o carroceiro olhou para trás e viu que a carroça estava pingando. Desceu e foi examinar os barris. Encontrou um deles já vazio e gritou:

– Ai de mim! Agora sou um homem pobre.

– Sim, mas não o suficiente – respondeu o pardal; que voou para a cabeça de um cavalo e com algumas bicadas arrancou-lhe um olho.

Vendo aquilo, o carroceiro brandiu a foice e tentou matar o pardal. Mas o passarinho voou rápido, e o golpe atingiu o cavalo que caiu morto, com a cabeça partida. Novamente, o carroceiro gritou:

– Ai de mim! Agora sou um homem pobre.

– Sim, mas não o suficiente! – respondeu o pardal.

E, enquanto o carroceiro ia seguindo o caminho com os dois cavalos, voltou a introduzir-se debaixo da lona e, com bicadas, arrancou a rolha do outro barril. O vinho começou a escorrer pela estrada. Quando o carroceiro percebeu, gritou de novo:

– Ai de mim! Sou um pobre homem arruinado!

– Sim, mas não o suficiente – respondeu o pardal.

E saltou para a cabeça do segundo cavalo, vazando-lhe os olhos. Cego de furor, o carroceiro brandiu novamente a foice procurando atingir o pardal, mas o golpe atingiu o cavalo, que caiu prostrado, sem vida.

– Ai de mim! Como estou pobre! – gemia o carroceiro.

– Sim, mas não o suficiente – respondeu novamente o pardal.

Saltou para o terceiro cavalo e vazou-lhe os olhos. Tremendo de ódio, o carroceiro lançou a foice contra o pardal, mas também desta vez a foice acertou em cheio no cavalo, que teve a mesma sorte dos outros companheiros.

– Ai de mim! Como estou pobre! – gritou o carroceiro.

– Sim, mas não o suficiente. Agora eu o farei ficar ainda mais pobre em casa. – disse o passarinho, enquanto saía voando pelos ares.

O carroceiro foi obrigado a abandonar a carroça na estrada e voltar para casa a pé, tremendo de ódio. Disse para a mulher dele:

– Que desgraça a minha! O vinho foi todo derramado e os três cavalos estão mortos. Pobre de mim!

A mulher também se lastimou:

– Ah, homem, que passarinho malvado entrou aqui em casa! Trouxe consigo todos os passarinhos da redondeza e, como um dilúvio, caíram sobre o nosso trigal, destruindo todas as espigas.

O homem saiu para ver e deparou com milhares e milhares de pássaros devorando todo o trigo. No meio deles estava o terrível pardal. Então o carroceiro gritou:

– Ai de mim! Pobre, mais pobre que nunca!

– Sim, mas não o suficiente! Carroceiro, pagará também com a vida, ameaçou o pardal, ao sair voando.

O carroceiro viu perdidos todos os seus bens. Foi para a cozinha, sentou-se atrás do fogão, resmungando e fervendo de ódio. Entretanto o pardal, pousando no peitoril da janela, do lado de fora, continuava dizendo:

– Carroceiro, vai custar sua vida!

Raivoso, o carroceiro pegou a foice e lançou-a violentamente contra o pardal, mas acertou nos vidros, espatifando-os sem que o pardal sofresse o menor dano.

Saltitando todo brejeiro, o pardal entrou na sala e foi pousar em cima do fogão, dizendo:

– Carroceiro, vai custar sua vida!

Cego de raiva e de ódio, o homem pegou de novo a foice e saiu em perseguição do pardal, que saltava de um lugar para outro, sempre desviando os golpes do carroceiro. Este ia quebrando tudo o que encontrava na frente: o fogão, os bancos, a mesa, o espelho, até a parede, mas não conseguia atingir o pássaro. Por fim, depois de tanto correr e pular, conseguiu agarrar com a mão o pardal. Então a mulher perguntou-lhe:

– Quer que o mate?

– Não, isso seria pouco para ele! Quero que morra de morte atroz; vou comê-lo vivo. – disse o carroceiro.

Dizendo isso, abocanhou e engoliu o pardal inteiro. Porém o demoniozinho continuou esvoaçando dentro do estômago e, em dado momento, voltou até a boca para dizer:

– Carroceiro, vai custar sua vida!

O carroceiro passou depressa a foice à sua mulher e ordenou:

– Mate logo esse passarinho mesmo dentro da minha boca!

A mulher agarrou a foice e deu um golpe fortíssimo, mas errando o alvo, acertou em cheio na cabeça do marido, prostrando-o sem vida.

O pardal, então, saiu voando e sumiu ao longe, nunca mais aparecendo por aquelas bandas.

Ilustração de Remmett Owen

O PEQUENO POLEGAR

H ouve, uma vez, um camponês que, estando durante a noite sentado junto da lareira atiçando o fogo, disse à mulher que fiava ao seu lado:

— Como é triste não ter filhos! Nossa casa é tão silenciosa, ao passo que nas outras há tanto barulho e alegria!

A mulher respondeu suspirando:

— É verdade, mesmo que tivéssemos um único filho, nem que fosse do tamanho deste polegar, eu já me sentiria feliz, e o amaríamos de todo o coração.

Pouco tempo depois, a mulher começou a sentir-se indisposta e, passados sete meses, deu à luz um menino. Ele era perfeitinho, mas era muito pequeno, do tamanho de um polegar. Então o chamaram de Pequeno Polegar.

Os pais o alimentaram do melhor modo possível, mas o menino não cresceu. Continuou do mesmo tamanho que tinha ao nascer. Contudo, ele tinha um olhar muito inteligente e, bem cedo, revelou-se criança vivaz e esperta, sabendo sair-se bem em tudo que fizesse.

Um dia, o camponês estava se aprontando para ir à floresta rachar lenha e disse de si para si:

— Como gostaria que alguém me fosse buscar com a carroça para trazer a lenha!

E o Pequeno Polegar falou:

— Ah, papai, eu irei! Fique sossegado, levarei a carroça e chegarei lá na hora certa.

O homem começou a rir e falou:

– Como isso é possível? Você é muito pequeno para segurar as rédeas e conduzir um cavalo!

– Não faz mal, papai. Se a mamãe o atrelar, eu me sento na orelha do cavalo e lhe digo como e aonde deve ir.

– Está bem! Podemos experimentar. – concordou o camponês.

Quando estava na hora, a mãe atrelou o cavalo, sentou Polegar numa de suas orelhas e o menininho foi gritando como e aonde devia ir: "Ei, aí! Arre, irra!"

O cavalo andava direito como se fosse guiado por um cocheiro de tamanho normal, e o carro seguia o caminho certo para a floresta. Eis que, justamente numa curva, quando o pequeno gritava ao cavalo para virar à esquerda, passaram por ali dois forasteiros. Um deles falou:

– Grande Deus! Aí vai um carro e o cocheiro que grita para o cavalo invisível!

– Isso não é normal, vamos seguir o carro e ver aonde vai parar. – disse o outro.

O carro entrou direito na floresta e foi aonde estava a lenha rachada. Quando Polegar viu o pai, gritou-lhe:

– Olhe aqui, papai! Viu que eu trouxe a carroça? Agora me ajude a descer.

O pai segurou o cavalo com a mão esquerda e, com a direita, tirou o filhinho da orelha. Todo satisfeito, o menino foi sentar-se num galhinho.

Quando os dois forasteiros viram o Pequeno Polegar, ficaram tão admirados que não sabiam o que dizer. Então, um deles chamou o outro de lado e disse:

– Escute, aquele pirralho poderia fazer a nossa fortuna se cobrássemos para exibi-lo em uma grande cidade. Vamos comprá-lo!

Aproximaram-se do camponês e falaram para ele:

– Venda para nós esse anãozinho, nós o trataremos bem e ele se sentirá feliz conosco.

– Nunca, ele é o centro do meu coração. Jamais o venderia, nem por todo o ouro do mundo.

Mas o Pequeno Polegar, ouvindo essa conversa, escalou as dobras da roupa do pai, sentou-se no seu ombro e sussurrou-lhe ao ouvido:

– Papai, pode me vender! Eu saberei voltar outra vez.

Assim, depois de muito discutir, o pai deu o Pequeno Polegar àqueles homens, em troca de muitas moedas de ouro.

– Onde quer que eu o coloque? – perguntou um dos homens.

– Coloque-me sentado na aba do seu chapéu, aí eu poderei passear à vontade e admirar toda a região sem perigo de cair.

Fizeram a vontade do menino. Polegar despediu-se do pai, e, em seguida, foram andando. Andaram até escurecer. Aí o pequeno disse:

– Quero ir um pouco para o chão. Deixa eu descer. Estou precisando.

– Pode ficar aí mesmo. Os passarinhos de vez em quando deixam cair alguma coisa na cabeça da gente!

– Não, deixe eu descer, depressa!

O homem tirou o chapéu e pôs o pequeno num campo à margem da estrada. O menino se enfiou por entre os torrões de terra, saltitando de cá para lá e, de repente, entrou em um buraco de rato, o que justamente estava procurando.

– Boa noite, senhores! Podem seguir o caminho sem mim! – gritou o Pequeno Polegar, todo alegre.

Os dois homens correram e sondaram o buraco com um pau, mas foi trabalho perdido. Polegar ia se enfiando sempre mais para o fundo. Como logo desceu a noite, escura como breu, os homens tiveram de partir, cheios de raiva e com a bolsa vazia. Quando Polegar se certificou de que os homens tinham ido embora, saiu da galeria subterrânea.

– É perigoso andar pelos campos no escuro! A gente pode quebrar o pescoço ou uma perna! – comentou o Polegar.

Teve a sorte de achar uma casca de caramujo. E o Polegar falou, enquanto se enfiava dentro:

– Graças a Deus! Aqui poderei passar a noite em segurança!

Pouco depois, já ia adormecendo quando ouviu passar dois homens, um dos quais dizia:

– Como faremos para tirar o ouro e a prata do rico vigário?

– Eu poderei ensiná-lo – gritou o pequeno Polegar.

– Que é isso? Escutei alguém falar! – disse um dos ladrões.

Pararam e puseram-se a escutar; então Polegar repetiu:

– Levem-me com vocês. Posso ajudar!

– Cadê você?

– Olhem para baixo, para o chão e prestem atenção de onde sai a minha voz.

Finalmente, depois de muito procurar, os ladrões o encontraram, e falaram para ele:

– Tiquinho de gente, como pode nos ajudar? – perguntaram.

– Posso entrar pela grade da janela no quarto do senhor Vigário e entregarei a ele o que precisar.

Os ladrões concordaram:

– Está bem! Vamos ver para que serve!.

Quando chegaram à casa paroquial, Polegar insinuou-se pelas grades e entrou no quarto; uma vez dentro, pôs-se a gritar com todas as forças de seus pulmões:

– Querem tudo o que há aqui?

Os ladrões alarmaram-se e disseram:

– Fale baixo, não acorde ninguém!

Mas Polegar fingiu não ter compreendido e gritou outra vez:

– Que querem? Querem tudo o que há aqui?

A cozinheira, que dormia no quarto ao lado, ouviu, sentou-se na cama e ficou escutando. Assustadíssimos, os ladrões fugiram. Depois de correr até bem longe, criaram coragem e pensaram: "Aquele tiquinho está nos desafiando!" Então voltaram e sussurraram-lhe através da grade:

– Deixe de brincadeira e passe-nos qualquer coisa.

Polegar então gritou mais alto ainda:

– Darei tudo, mas estenda as mãos aqui para dentro.

A empregada, que estava escutando, pulou da cama e, tropeçando, foi até o quarto. Os ladrões fugiram precipitadamente, correndo como se tivessem o diabo nos calcanhares. A mulher, não vendo nada, foi acender uma vela. Quando voltou, Polegar, sem ser visto, escapuliu para o paiol de feno. Após ter vasculhado inutilmente todos os cantos, a empregada voltou novamente para a cama, julgando ter sonhado de olhos abertos.

Polegar, subindo pelas hastes de feno, encontrou um excelente lugar para dormir. Tencionava descansar até o outro dia e depois regressar à casa dos pais. Mas viriam outras experiências! Sim, o mundo está cheio de sofrimentos e atribulações!

De madrugada, a criada levantou-se para dar comida aos animais. Dirigiu-se em primeiro lugar ao paiol, apanhou uma grande braçada de feno, justamente aquele onde se encontrava Polegar dormindo. Este dormia tão profundamente que não percebeu nada e foi acordar somente na boca da vaca, que o pegara junto com o feno. E ele gritou, assustado:

– Deus meu! Como vim cair dentro do pilão?

Não demorou para perceber onde estava. Precisou tomar muito cuidado para se desviar dos dentes da vaca para não ser triturado! Mas acabou escorregando para dentro do estômago da vaca. Comentou:

– Esqueceram de colocar janelas neste quartinho. Não penetra sequer um raio de sol; além disso não tem nem lamparina!

O quartinho não lhe agradava absolutamente; mas o pior era que, pela porta, continuava a entrar sempre mais feno, e o espaço restringia-se cada vez mais. Por fim, amedrontado, gritou com toda a força de que dispunha:

– Não me tragam mais feno! Não me tragam mais feno!

A criada estava justamente ordenhando a vaca. Escutou a voz e não viu ninguém. Reconheceu a mesma voz que ouvira durante a noite e assustou-se tanto que escorregou do banquinho e entornou todo o leite. Correu para casa gritando ao patrão:

– Meu Deus, reverendo, a vaca falou!

– Quê? Enlouqueceu? – disse o vigário.

O religioso foi pessoalmente ao estábulo ver o que se passava. Mal havia posto o pé dentro, Polegar tornou a gritar:

– Não me tragam mais feno! Não me tragam mais feno!

O vigário, então, assustou-se também e julgou que havia entrado um espírito maligno na vaca. Mandou logo matá-la. Uma vez abatida, pegaram o estômago e atiraram no depósito de lixo.

Com grande dificuldade, Polegar conseguiu abrir caminho e avançar; mas, justamente quando ia pondo a cabeça para fora, sobreveio-lhe outra desgraça. Um lobo esfaimado, que ia passando por ali, agarrou o estômago da vaca e engoliu-o todo de uma só vez.

Polegar não desanimou. "Talvez o lobo me dê atenção" pensou, e gritou-lhe de dentro da barriga:

– Meu caro lobo, eu sei onde poderás encontrar um petisco delicioso.

– Onde? – perguntou o lobo.

– Numa casa assim é assim. Tem que subir pelo cano e aí encontrará bolo, linguiça e toucinho à vontade. – e Polegar descreveu detalhadamente a casa do pai dele.

O lobo não o fez repetir duas vezes. Durante a noite subiu pelo cano, penetrou na despensa e lá comeu até se fartar.

Quando ficou satisfeito, quis sair, mas tinha estufado tanto que não conseguiu voltar pelo mesmo caminho. Era justamente com isso que Polegar contava; e desandou a fazer um barulhão na barriga do lobo, batendo os pés e vociferando o mais que podia.

– Cale-se. Vai acabar por acordar todo mundo! – esbravejou o lobo.

– Como? Você se empanturrou à vontade, e eu quero me divertir! – falou o Pequeno Polegar.

E o menino voltou a gritar com todas as forças. Por fim o pai e a mãe acordaram, correram à despensa e espiaram por uma fresta. Vendo que era o lobo, correram com um machado e uma foice.

O pai do Polegar falou para a mãe:

– Fique atrás de mim, se não o matar com a primeira machadada, você corta a barriga dele com a foice.

Ouvindo a voz do pai, Polegar gritou:

– Querido papai, eu estou aqui, dentro da barriga do lobo!

– Deus seja louvado! O nosso querido filhinho voltou. – gritaram os pais muito contentes.

O pai do Polegar mandou a mulher guardar a foice para não machucar o menino. Depois, erguendo o machado, desferiu um terrível golpe na cabeça do lobo, derrubando-o morto no chão. Em seguida, munidos de uma faca e de uma tesoura, cortaram a barriga dele e tiraram o pequeno para fora. O pai falou:

– Ah, como estivemos aflitos por sua causa!

– Sim, papai, andei muito por esse mundo; agora, graças a Deus, respiro novamente ar puro.

– Mas onde estava?

– Oh, estive num buraco de ratos, no estômago de uma vaca e na barriga de um lobo. Agora quero ficar para sempre com meus queridos pais!

– E nós não o venderemos de novo nunca mais, nem por todo o ouro do mundo – disseram os pais, abraçando e beijando ternamente o filhinho querido.

O FLAUTISTA DE HAMELIN

Ilustração de Kate Greenaway

Há muito, muito tempo atrás, os habitantes da cidade de Hamelin amanheceram certo dia com a cidade infestada de ratos. Eram animais famintos que devoravam toda a comida que existia nas casas. E a cada dia o número de ratos se multiplicava. Ninguém conseguia acabar com eles. Um dia os moradores, desesperados, se reuniram e decidiram oferecer um pote de ouro a quem acabasse com aquela terrível praga.

Logo chegou à cidade um flautista que anunciou:

– O ouro será meu. Esta noite não haverá um só rato em Hamelin.

O flautista pegou sua flauta e saiu pelas ruas de Hamelin entoando uma linda melodia que encantava os ratos, e fazia com que todos o seguissem para onde fosse.

O flautista foi tocando e caminhando para fora da cidade, sempre seguido pelos ratos, até que chegou a um grande rio. Sem parar de tocar, atravessou o rio e os ratos continuaram a seguir o flautista. Eles caíram no rio e acabaram por morrer afogados.

No dia seguinte, o flautista foi falar com os responsáveis pela cidade para receber a recompensa prometida. Porém o conselho da cidade achou que não devia pagar uma fortuna, pois o flautista só havia tocado sua flauta. E não pagaram.

Furioso com a avareza e ingratidão dos habitantes de Hamelin, o flautista, da mesma forma que fizera no dia anterior, tocou uma doce melodia insistentemente. Porém desta vez não eram os ratos que o seguiam, e sim as crianças da cidade que, arrebatadas por aquele som maravilhoso, iam atrás dos passos do estranho músico. De mãos dadas e sorridentes, formavam uma grande fila, encantadas, sem ouvir os pedidos e gritos de seus pais que, em vão, entre soluços de desespero, tentavam impedir que seguissem o flautista.

As crianças foram embora para muito longe, atrás do flautista. Os dias passaram e elas não voltaram. Sem a algazarra das crianças, a cidade de Hamelin ficou triste e silenciosa. Depois de algum tempo, o flautista retornou, e os habitantes da cidade imploraram:

– Por favor, flautista! Traga nossas crianças de volta! Prometemos pagar tudo o que devemos a você!

O flautista concordou com uma condição: nunca mais nenhum habitante de Hamelin poderia descumprir qualquer promessa.

Todos concordaram e assim o flautista começou a tocar em sua flauta uma outra melodia. As crianças voltaram, encantadas e logo estavam espalhando alegria junto a suas famílias.

O povo, reunido, pressionou o conselho da cidade, que pagou o que devia ao flautista por livrar a cidade dos ratos. Depois daquele dia nunca mais nenhuma pessoa de Hamelin descumpriu uma promessa! E todos viveram felizes.

O LOBO E OS SETE CABRITOS

Ilustração de Walter Crane

Era uma vez uma velha cabra que tinha sete cabritinhos e os amava, como uma boa mãe pode amar os filhos. Um dia, querendo ir ao bosque para buscar comida para o jantar, chamou os sete filhinhos e disse para eles:

– Queridos pequenos, preciso ir ao bosque. Cuidado com o lobo; se ele entrar aqui, comerá todos com uma única abocanhada. Aquele patife costuma disfarçar-se. Mas poderá saber que é ele por causa da voz rouca e patas pretas.

Os cabritinhos responderam:

– Pode ir sossegada, querida mamãe, ficaremos bem atentos.

Com um balido, a mamãe cabra se afastou confiante. Pouco depois, alguém bateu à porta, gritando:

– Abram, queridos pequenos. É a sua mãezinha que trouxe um presente para cada um!

Mas os cabritinhos perceberam, pela voz rouca, que era o lobo. E responderam:

– Não abriremos nada. Não é a nossa mamãe; a mamãe tem uma vozinha suave e a sua voz é rouca. É o lobo!

Então o lobo comprou uma porção de argila, comeu e ficou com a voz diferente. Em seguida, voltou a bater à porta, dizendo:

– Abram, queridos pequenos; está aqui a mãezinha de vocês, que trouxe um presente para cada um!

Mas havia apoiado a pata preta na janela. Os cabritinhos viram e gritaram:

– Não abriremos. Nossa mamãe não tem as patas pretas desse jeito. Você é o lobo.

O lobo correu, então, até a padaria e pediu:

– Machuquei o pé, pode esparramar em cima um pouco de massa?

Assim, ele cobriu as patas com massa branca de pão. Correu até o moleiro, que mói o trigo para fazer farinha, e disse:

– Espalhe um pouco de farinha de trigo na minha pata.

O moleiro pensou:

– Este lobo está tentando enganar alguém!

E ele se recusou a atendê-lo. O lobo, porém, ameaçou-o:

– Se não fizer o que estou pedindo, o devoro!

O moleiro se assustou e obedeceu, polvilhando de farinha a pata do lobo. E o lobo foi, pela terceira vez, bater à porta dos cabritinhos, dizendo:

– Abram, pequenos, sua querida mãezinha voltou do bosque e trouxe um presente para cada um de vocês!

Os cabritinhos gritaram:

– Mostre-nos primeiro a sua pata para sabermos se é realmente nossa mamãezinha.

O lobo não hesitou, colocou a pata sobre a janela. Quando os cabritinhos viram que era branca, acreditaram no que ele disse e abriram a porta. E o lobo entrou. Os cabritinhos, amedrontados, trataram de se esconder.

O primeiro escondeu-se debaixo da mesa, o segundo se enfiou embaixo da cama, o terceiro correu para dentro do forno, o quarto foi para a cozinha, o quinto fechou-se no armário, o sexto dentro da pia e o sétimo na caixa do relógio de parede. Mas o lobo encontrou-os todos e não fez cerimônias; engoliu-os um após o outro. O último, porém, que estava dentro da caixa do relógio, não foi descoberto. Uma vez satisfeito, o lobo saiu e foi deitar-se sob uma árvore, no gramado fresco do prado e não tardou a ferrar no sono. Não demorou muito para a mamãe cabra regressar do bosque.

E o que ela encontrou? A porta da casa escancarada; mesa, cadeiras, bancos, tudo de pernas para o ar. A pia em pedaços, as cobertas, os travesseiros arrancados da cama. Procurou logo os filhinhos, não conseguindo encontrá-los em parte alguma. Chamou-os pelo nome, um após o outro, mas ninguém respondeu. Ao chamar, por fim, o menor de todos, uma vozinha sumida gritou:

– Querida mamãezinha, estou aqui, dentro da caixa do relógio.

Ela tirou-o de lá e o pequeno contou para ela que o lobo apareceu e devorou todos os outros. Imagine o quanto a cabra chorou pelos seus pequeninos! Saiu de casa desesperada, sem saber o que fazer; o cabritinho menor foi atrás. Chegando ao prado, viram o lobo espichado debaixo da árvore, roncando de tal maneira que fazia estremecer os galhos. Observou-o atentamente, de um e de outro lado e notou que algo se mexia dentro de seu ventre enorme.

– Ah! Deus meu – suspirou ela –, estão ainda vivos os meus pobres pequenos que o lobo devorou!

Pediu que o cabritinho menor fosse correndo em casa apanhar a tesoura, linha e agulha também. De posse delas, abriu a barriga do monstro. Ao primeiro corte, um cabritinho pôs a cabeça para fora, Conforme ia cortando mais, um por um foram saltando para fora; todos os seis, vivos e perfeitamente sãos. O monstro, na pressa para devorar, os engolira inteiros, sem mastigar.

Que alegria os cabritinhos sentiram ao ver a mãezinha! Abraçaram-na, saltando felizes como nunca. Mas a velha cabra lhes disse:

– Corram depressa procurar algumas pedras para encher a barriga deste danado antes que ele desperte.

Os cabritinhos, então, saíram correndo e daí a pouco voltaram com as pedras, que colocaram, tantas quantas couberam, na barriga ainda quente do lobo. A velha cabra, muito rapidamente, coseu-lhe a pele de modo que ele nem chegou a perceber.

Finalmente, tendo dormido bastante, o lobo levantou-se e, como as pedras que tinha no estômago lhe provocassem uma grande sede, foi à fonte para beber; mas, ao andar e mexer-se, as pedras se sacudiam na barriga, fazendo um certo ruído. Ele então começou a gritar:

Dentro do barrigão,

que é que salta e pula?

Cabritos não são;

É como pedra que rola!

Chegando à fonte, debruçou-se para beber água. Nisso, o peso das pedras arrastou-o para dentro da água, onde acabou se afogando. Vendo isso, os sete cabritinhos saíram correndo e gritando:

– O lobo morreu! O lobo morreu!

Então, juntamente com a mãezinha, dançaram alegremente em volta da fonte.

O PESCADOR E SUA MULHER

Ilustração de Walter Crane

Era uma vez um pobre pescador e sua mulher. Eram pobres, muito pobres. Moravam numa choupana à beira-mar, num lugar solitário. Viviam dos poucos peixes que ele pescava. Poucos porque, de tão pobre que era, ele não possuía um barco: não podia aventurar-se no alto-mar, onde estão os grandes cardumes. Tinha de se contentar com os peixes que apanhava com os anzóis ou com as redes lançadas no raso. Sua choupana de pau-a-pique era coberta com folhas de palmeira. Quando chovia a água caía dentro da casa e os dois tinham de ficar encolhidos, agachados, num canto.

Não tinham muitos motivos para serem felizes. Mas, apesar de tudo, tinham momentos de felicidade. Era quando falavam de seus sonhos. Algum dia ele teria sorte, teria uma grande pescaria, ou encontraria um tesouro. Então, teriam uma casinha branca com janelas azuis, jardim na frente e galinhas no quintal. Eles sabiam que tudo não passava de um sonho. Mas era tão bom sonhar! E assim, sonhando com a impossível casinha azul, eles dormiam felizes, abraçados.

Era um dia comum como todos os outros. O pescador saiu muito cedo com seus anzóis para pescar. O mar estava tranquilo, muito azul. O céu limpo, a brisa fresca. De cima de uma pedra lançou o seu anzol. Sentiu um tranco forte. Um peixe estava preso no anzol. Lutou e puxou. Tirou o peixe. Ele tinha escamas de prata com barbatanas de ouro. Foi então que o espanto aconteceu. O peixe falou.

– Pescador, eu sou um peixe mágico, anjo dos deuses no mar. Devolva-me ao mar que realizarei o seu maior desejo...

O pescador acreditou. Um peixe que fala deve ser digno de confiança. Contou para ele:

– Eu e minha mulher temos um sonho! Sonhamos com uma casinha azul, jardim na frente, galinhas no quintal... E mais: roupa nova para minha mulher...

Ditas estas palavras ele lançou o peixe de novo ao mar e voltou para casa, para ver se o prometido acontecera. De longe, no lugar da choupana antiga, ele viu uma casinha branca com janelas azuis, jardim na frente e galinhas no quintal e, à frente dela, a sua mulher com um vestido novo – tão linda! Começou a correr e enquanto corria pensava: "Finalmente nosso sonho se realizou! Encontramos a felicidade!"

Foi um abraço maravilhoso. Ela ria de felicidade. Mas não estava entendendo nada. Queria explicações. E ele então lhe contou do peixe mágico.

– Ele me disse que eu poderia pedir o que quisesse. E eu então me lembrei do nosso sonho...

Houve um momento de silêncio. O rosto da mulher se alterou. Cessou o riso. Ficou séria. Ela olhou para o marido e, pela primeira vez, ele lhe pareceu imensamente tolo:

– Você poderia ter pedido o que quisesse? E por que não pediu uma casa maior, mais bonita, com varanda, três quartos e dois banheiros? Volte. Chame o peixe. Diga-lhe que você mudou de ideia.

O marido sentiu a repreensão e ficou envergonhado. Obedeceu e voltou. O mar já não estava tão calmo, tão azul. Soprava um vento mais forte. Gritou:

– Peixe encantado, de escamas de prata e barbatanas de ouro!

O peixe apareceu e lhe perguntou:

– O que é que você deseja?

O pescador respondeu:

– Minha mulher me disse que eu deveria ter pedido uma casa maior, com varanda, três quartos e dois banheiros!

O peixe disse:

– Pode ir. O desejo dela já foi atendido.

De longe o pescador viu a casa nova, grande, do jeito mesmo como a mulher pedira.

"Agora ela está feliz", ele pensou. Mas ao chegar a casa o que ele viu não foi um rosto sorridente. Foi um rosto transtornado.

– Tolo, mil vezes tolo! De que me vale essa casa nesse lugar ermo, onde ninguém a vê? O que eu desejo é um palacete num condomínio elegante, com dois andares, muitos banheiros, escadarias de mármore, fontes, piscina, jardins. Volte! Diga ao peixe esse novo desejo!

O pescador, obediente, voltou. O mar estava cinzento e agitado. Gritou:

– Peixe encantado, de escamas de prata e barbatanas de ouro!

O peixe apareceu e lhe perguntou:

– O que é que você deseja?

O pescador respondeu:

– Minha mulher me disse que eu deveria ter pedido um palacete num condomínio elegante...

Antes que ele terminasse o peixe disse:

– Pode voltar. O desejo dela já está satisfeito.

Depois de muito andar – agora ele já não morava perto da praia – chegou à cidade e viu, num condomínio rico, um palacete tal e qual aquele que sua mulher desejava. "Que bom", ele pensou. "Agora, com seu desejo satisfeito, ela deve estar feliz, mexendo nas coisas da casa." Mas ela não estava mexendo nas coisas da casa. Estava na janela. Olhava o palacete vizinho, muito maior e mais bonito que o seu, do homem mais rico da cidade. O seu rosto estava transtornado de raiva, os seus olhos injetados de inveja.

– Homem, o peixe disse que você poderia pedir o que quisesse. Volte. Diga-lhe que eu desejo um palácio de rainha, com salões de baile, salões de banquete, parques, lagos, cavalariças, criados, capela.

O marido obedeceu. Voltou. O vento soprava sinistro sobre o mar cor de chumbo.

– Peixe encantado, de escamas de prata e barbatanas de ouro!

O peixe apareceu e lhe perguntou:

– O que é que você deseja?

O pescador respondeu:

– Minha mulher me disse que eu deveria ter pedido um palácio com salões de baile, de banquete, parques, lagos...

– Volte! O desejo de sua mulher já está satisfeito. – disse o peixe.

Era magnífico o palácio. Mais bonito do que tudo aquilo que ele jamais imaginara. Torres, bosques, gramados, jardins, lagos, fontes, criados, cavalos, cães de raça, salões ricamente decorados... Ele pensou: "Agora ela tem de estar satisfeita. Ela não pode pedir nada mais rico."

O céu estava coberto de nuvens e chovia. A mulher, de uma das janelas, observava o reino vizinho, ao longe. Lá o céu estava azul e o sol brilhava. As pessoas passeavam alegremente pelo campo.

– De que me serve este palácio se não posso gozá-lo por causa da chuva? Volte, diga ao peixe que eu quero ter o poder dos deuses para decretar que haja sol ou haja chuva!

O homem, amedrontado, voltou. O mar estava furioso. Suas ondas se espatifavam no rochedo.

– Peixe encantado, de escamas de prata e barbatanas de ouro! – ele gritou.

O peixe apareceu e perguntou:

– Que é que sua mulher deseja?

O pescador respondeu:

– Ela deseja ter o poder para decretar que haja sol ou haja chuva!

O peixe falou suavemente:

– O que vocês desejavam era felicidade, não era?

– Sim. A felicidade é o que nós dois desejamos.

– Pois eu vou lhes dar a felicidade!

O pescador riu de alegria.

– Volte, vá ao lugar da sua primeira casa. Lá você encontrará a felicidade...

E com estas palavras desapareceu.

O pescador voltou. De longe ele viu a sua casinha antiga, a mesma casinha de pau-a-pique coberta de folhas de coqueiro. Viu sua mulher com o mesmo vestido velho. Ela colhia verduras na horta. Quando ela o viu, veio correndo ao seu encontro e disse, com um sorriso:

– Que bom que você voltou mais cedo. Vou fazer uma salada e sopa de ostras, daquelas que você gosta. E enquanto comemos, vamos falar sobre a casinha branca com janelas azuis...E depois vamos dormir abraçados.

Ditas essas palavras ela segurou a mão do pescador enquanto caminhavam, e foram felizes para sempre.

A BOLA DE CRISTAL

Era uma vez uma feiticeira que tinha três filhos, que se amavam muito. Mas a mãe não gostava dos meninos e vivia desconfiando deles, achando que queriam tomar tudo que ela possuía. Então transformou o mais velho numa águia, para viver no alto das montanhas de pedra. Só de vez em quando alguém via a águia voando em grandes círculos no espaço, descendo e subindo com as largas asas abertas.

A feiticeira transformou o segundo filho numa baleia que vivia nas profundezas do mar, podendo ser vista só quando subia à tona e de suas costas saía um esguicho de água que espirrava bem alto. Os dois tinham apenas duas horas por dia em que podiam retomar a forma humana.

O terceiro filho, temendo que a mãe o transformasse também em algum animal feroz, urso ou lobo, fugiu de casa às escondidas.

Ele ouvira contar que no castelo do Sol de Ouro havia uma princesa encantada, que aguardava a sua libertação; mas se alguém tentasse libertá-la, arriscaria a vida. Vinte e três rapazes já haviam perecido deploravelmente. Só mais um podia apresentar-se e, depois desse, mais ninguém.

Sendo um rapaz destemido e arrojado, ele resolveu procurar o castelo do Sol de Ouro. Depois de andar muito tempo, sem conseguir encontrá-lo, foi parar numa grande floresta. Ele se perdeu e não sabia como sair dela. De repente, avistou ao longe dois gigantes acenando-lhe com a mão e, quando se aproximou, disseram:

— Estamos brigando por causa de um chapéu; queremos saber a quem deve pertencer. Como somos os dois de igual força, nenhum pode vencer o

Ilustração de Philipp Grot Johann

outro. Os homens pequenos são mais inteligentes do que nós, por isso pedimos que você decida.

– Como é possível lutar assim, por causa de um simples chapéu? – perguntou o rapaz.

– É que esse chapéu tem uma propriedade especial. É um chapéu mágico. Quem o usa chega, no mesmo instante, a qualquer lugar que quiser.

O rapaz falou:

– Deixe eu usar um pouco esse chapéu! Vou andar até ali adiante e quando eu fizer um sinal, os dois saem correndo. Quem chegar primeiro ganhará o chapéu.

Ele pegou o chapéu, botou-o na cabeça e foi andando, andando. Mas, pensando sempre na princesa, deu um suspiro fundo e murmurou:

– Ah, quem me dera estar no castelo do Sol de Ouro!

Mal lhe saíram da boca essas palavras, eis que se achou no alto de uma montanha, bem em frente à porta do castelo.

Sem hesitar, entrou no castelo e foi atravessando todos os aposentos até chegar a uma sala onde estava a princesa. Mas como se espantou ao vê-la! Tinha o rosto de uma cor cinzenta e cheio de rugas, os olhos turvos e os cabelos vermelhos. Sem se poder conter, exclamou:

– Então, sois vós a princesa cuja beleza é exaltada no mundo inteiro?

– Oh, esta não é a minha fisionomia real! Os olhos humanos só podem ver-me assim deformada, pois fui enfeitiçada. Mas se quer saber como sou realmente, olhe para aquele espelho. Ele não se engana e lhe mostrará a minha verdadeira imagem. – explicou a princesa.

Assim dizendo, apresentou-lhe um espelho e o rapaz, olhando para ele, viu refletida a imagem da mais linda moça que pudesse existir no mundo. E viu lágrimas de intenso sofrimento escorrendo-lhe pelas faces. Então perguntou:

– Que posso fazer para libertá-la desse encanto? Diga, pois eu não temo coisa alguma.

A princesa disse:

– Quem conseguir apoderar-se da bola de cristal e apresentá-la ao feiticeiro, anulará o seu poder e eu readquirirei o meu verdadeiro aspecto.

E acrescentou:

– Muitos já encontraram a morte nessa tentativa! Lamento, imensamente, que você, tão jovem, queira se expor a tão grandes perigos.

O rapaz respondeu:

– Nada poderá deter-me. Diga o que devo fazer para me apoderar da bola de cristal.

– Já vai saber tudo. Terá de descer da montanha onde está o castelo. Lá embaixo, perto de um manancial, encontrará um feroz bisão, com o qual deve lutar. Se conseguir derrotá-lo, sairá voando de dentro dele um pássaro de fogo. Ele tem no corpo um ovo incandescente. Nesse ovo, no lugar da gema, está a bola de cristal. Mas o pássaro não deixará cair o ovo se não for obrigado a isto, com violência. Se o ovo cair no chão, vai se quebrar e queimar tudo à sua volta, destruindo-se juntamente com a bola de cristal. Aí, todo o seu trabalho terá sido inútil.

O rapaz desceu até ao manancial onde se encontrava o bisão, que o recebeu bufando e resfolegando, ameaçador. No mesmo instante, travou-se entre os dois uma tremenda luta. O rapaz conseguiu enterrar-lhe a espada no ventre, matando a terrível fera. Imediatamente saiu voando o pássaro de fogo, que procurou se elevar no espaço. Nisso, a águia, que era o irmão do rapaz, chegou nesse momento através das nuvens, investiu contra o pássaro, e com o bico adunco empurrou-o para o mar. A ave, vendo-se em perigo, deixou cair o ovo.

Mas o ovo não caiu no mar; caiu sobre uma choupana de pescadores situada na praia. Imediatamente subiu uma nuvem de fumaça e ateou-se o fogo. Ondas da altura de uma casa se elevaram no mar, alcançaram a choupana e extinguiram o fogo. Tinha sido obra do outro irmão, transformado em baleia, que, vendo o fogo, provocara as ondas.

Depois de apagado o incêndio, o rapaz foi em busca do ovo, e teve a sorte de encontrá-lo. A casca incandescente, esfriada repentinamente pela água gelada, partira-se toda. Assim, conseguiu retirar a bola de cristal.

Então, ele procurou o feiticeiro e mostrou a bola de cristal. O feiticeiro, disse:

– Meu poder está anulado; de hoje em diante será o rei neste castelo do Sol de Ouro. E tem também o poder de devolver a forma humana aos seus irmãos.

Então o rapaz correu para junto da princesa e, ao entrar na sala em que se encontrava, ela se apresentou com todo o esplendor de sua beleza.

Cheios de alegria, trocaram as alianças que os devia unir e viveram na mais perfeita felicidade.

O ENIGMA

Era uma vez um príncipe que sentiu desejo de sair pelo mundo e levou junto consigo apenas um criado fiel. Um dia, ele cavalgava em uma grande floresta e, quando escureceu, vendo que não havia por ali nenhuma hospedaria, ficou sem saber onde passaria a noite. Então avistou uma moça que se dirigia a um casebre e, quando ele chegou mais perto, viu que a moça era jovem e bonita. Iniciou a conversa com estas palavras:

– Cara criança, será que eu e meu criado podemos encontrar abrigo nesta casa por esta noite?

– Claro, mas eu não o aconselho; não entrem ali!

– Por que não? – perguntou o príncipe.

A moça disse suspirando:

– Minha madrasta pratica artes maléficas e não simpatiza com estranhos.

Então ele compreendeu que tinha chegado à casa de uma feiticeira, mas, como estava escuro e ele não poderia prosseguir viagem nem tinha medo, entrou. A velha estava sentada em uma poltrona junto à lareira e examinou os estranhos com seus olhos vermelhos.

– Boa noite! – murmurou ela, fingindo cordialidade. – Acomodem-se e descansem.

Depois soprou o carvão sobre o qual, em uma grande panela, estava cozinhando alguma coisa. A filha avisou-os de que tomassem cuidado para nada comer e também nada beber naquela casa, pois a velha preparava bebidas maléficas.

Dormiram tranquilamente até o raiar do dia. Quando se preparavam para a partida e o príncipe já estava sentado em seu cavalo, a velha disse!

– Espere um momento, desejo fazer um brinde à sua partida.

Enquanto ela foi buscar a bebida, o príncipe partiu a cavalo e o criado, que tinha de prender sua sela, ficou sozinho, quando a feiticeira voltou com a bebida.

– Leve-a a seu patrão! – disse ela

Mas naquele momento o copo quebrou e o veneno caiu sobre o cavalo. E era tão poderoso que o animal morreu na hora. O criado correu até seu patrão e contou para ele o que tinha acontecido. Só que não queria deixar para trás sua sela e correu de volta para pegá-la. Mas, quando chegou junto ao cavalo morto, um abutre já estava sentado sobre ele e o devorava.

– Quem sabe, se hoje encontraremos algo melhor? – disse o criado. Em seguida, matou a ave e a levou consigo.

Percorreram a floresta o dia todo, mas não conseguiram sair dela. Ao cair da noite, toparam com uma hospedaria e nela entraram. O criado deu ao dono o abutre, para que ele o preparasse para o jantar.

Só que eles tinham ido parar num covil de assassinos. Com a escuridão, chegaram doze bandidos, dispostos a matar e roubar os estranhos. Mas, antes de pôr mãos à obra, sentaram-se à mesa, e o dono da hospedaria e a feiticeira se uniram a eles.

Comeram juntos um prato de sopa preparado com a carne daquele abutre. Mal tinham engolido alguns bocados e caíram mortos, pois a ave estava contaminada com o veneno da carne do cavalo.

Não restava mais ninguém naquela casa, a não ser a filha do hospedeiro, que era uma boa moça e não tinha tido nenhuma participação nas coisas terríveis que ali aconteciam. Ela abriu todas as portas para os estranhos e mostrou-lhes tesouros incontáveis. O príncipe, porém, disse que ela poderia ficar com tudo, pois ele não queria nada, e partiu com seu criado.

Depois de terem cavalgado por muito tempo, chegaram a uma cidade onde havia uma princesa bela, mas muito convencida. Ela havia anunciado que quem propusesse um enigma que ela não fosse capaz de decifrar se tornaria seu marido. Mas, se ela conseguisse decifrar, ele seria decapitado.

A princesa pedia três dias para refletir; mas era tão esperta que sempre acabava decifrando o enigma antes do prazo. Nove candidatos tinham morrido daquela maneira, quando o príncipe chegou e ficou deslumbrado com a beleza da moça. Quis arriscar a sua vida.

O príncipe se apresentou diante dela e propôs seu enigma:

– *O que é? Um não matou nenhum, mas matou doze.*

Ela não soube responder do que se tratava. Pensou e pensou, mas não conseguiu desvendar o enigma. Consultou seu livro de enigmas, mas nada encontrou ali. Em resumo, sua esperteza chegara ao fim. Não sabendo mais o que fazer, mandou sua criada ir até o quarto do senhor para espioná-lo enquanto dormia! Talvez ele falasse durante o sono e revelasse o enigma... Mas o esperto criado tinha-se deitado na cama no lugar de seu patrão e, quando a criada chegou, arrancou-lhe o manto em que ela estava envolvida e expulsou-a do quarto a chicotadas.

Na segunda noite, a princesa enviou sua camareira na esperança de que ela tivesse melhor sorte. Mas o criado também arrancou-lhe o manto e expulsou-a a chicotadas. Na terceira noite, o príncipe julgou-se em segurança e deitou-se em sua cama. Eis que vai até lá a princesa em pessoa, envolta num manto cinzento, e se senta perto dele. Quando pensou que ele estava dormindo e sonhando, pôs-se a lhe falar, na esperança de que ele lhe respondesse durante o sono, como muitos fazem.

Mas ele estava bem acordado e compreendeu e ouviu tudo muito bem. Ela perguntou:

– Um matou nenhum, o que isso significa?

– Um abutre, que se alimentou de um cavalo morto e envenenado e, por isso, morreu. – foi a resposta do príncipe.

– E matou doze... como assim? – perguntou a princesa.

– São doze assassinos que provaram do corvo e por isso morreram.

Ao saber a chave do enigma, a princesa quis sair de fininho, mas o príncipe segurou-lhe o manto bem firmemente, de tal forma que ela teve de deixá-lo para trás.

Na manhã seguinte, a princesa anunciou que decifrara o enigma. Mandou chamar os doze juízes e disse a eles qual era a resposta. Mas o jovem pediu permissão para falar e disse:

– Ela foi de fininho até meu quarto à noite e me perguntou, caso contrário não teria decifrado o enigma.

Os juízes pediram uma prova. Então o criado trouxe os três mantos. Quando os juízes viram o manto cinzento que a princesa costumava vestir, disseram:

– Que se borde o manto com ouro e prata! Será seu vestido de casamento.

AS TRÊS FLORES

Ilustração de Walter Crane

Há muito, muito tempo, em um lugar bem distante, perto de um bosque, moravam três irmãs muito bonitas. Elas eram alegres e muito felizes. Por perto morava uma bruxa muito feia e invejosa, que tinha raiva delas. Certo dia em que as três passeavam pelo campo, colhendo flores, a bruxa aproveitou um momento em que se distraíram, lançou um feitiço e as transformou em flores.

As três eram exatamente iguais e ficaram plantadas no meio do campo, sem poder se mexer. Apenas uma delas, que era casada, ganhou o direito de passar a noite em sua casa, com o marido.

Certa manhã, na hora de retornar para o campo, para ficar plantada outra vez, a flor que foi para casa, disse ao marido:

– Ontem uma borboleta me contou que se hoje pela manhã você for ao campo e me colher, o feitiço vai se quebrar e poderei ficar sempre em casa.

E foi assim que aconteceu. O marido a colheu, o encantamento se quebrou, as outras flores, irmãs dela, também foram libertadas do feitiço. A mulher voltou para casa, junto ao marido e todos foram felizes para sempre.

Mas como é que é que o marido conseguiu reconhecê-la se as três irmãs eram exatamente iguais, sem nenhuma diferença?

Foi porque ela passou a noite em casa e não ao relento, no campo, embaixo do orvalho que molhou tudo. Por isso o marido a reconheceu logo. Ela era a única que estava sequinha, sem nenhuma gota de orvalho.

O FIEL JOÃO

Houve, uma vez, um velho rei que, sentindo-se muito doente, pensou: "Este será o meu leito de morte!"

Então, ele falou para os que o cercavam:

– Chamem o meu fiel João.

O fiel João era o seu criado predileto, assim chamado porque, durante toda a vida, foi extremamente fiel ao rei. Quando João se aproximou do leito onde estava o rei, ele lhe disse:

– Meu fidelíssimo João, sinto que estou perto do fim; nada me preocupa, a não ser o futuro de meu filho. Ele é um rapaz ainda inexperiente. Se você não me prometer ensinar-lhe tudo e orientá-lo no que deve saber, assim como ser para ele um pai adotivo, não poderei fechar os olhos em paz.

O fiel João respondeu:

– Não o abandonarei nunca e prometo servi-lo com toda a lealdade, mesmo que isso me custe a vida.

– Agora morro contente e em paz – exclamou o velho rei e acrescentou: – Depois da minha morte, deve mostrar para ele todo o castelo, os aposentos, as salas e os subterrâneos todos, com os tesouros que encerram. Exceto, porém, o último quarto do corredor comprido, onde está escondido o retrato da princesa do Telhado de Ouro. Se ele olhar para aquele retrato, ficará ardentemente apaixonado por ela, cairá num longo desmaio e, por sua causa, correrá grandes perigos, dos quais eu lhe peço que o livre e o preserve.

Assim que o fiel João acabou de apertar, ainda uma vez, a mão do velho rei, este silenciou, reclinou a cabeça no travesseiro e morreu.

O velho rei foi enterrado e, passados alguns dias, o fiel João expôs ao príncipe o que lhe havia prometido pouco antes de sua morte, acrescentando:

— Cumprirei a minha promessa. Serei fiel ao senhor como fui ao seu pai, mesmo que isso me custe a vida.

Transcorrido o período do luto, o fiel João disse-lhe:

— Já é tempo que tome conhecimento das riquezas que herdou. Vamos, vou lhe mostrar o castelo de seu pai.

Conduziu-o por toda parte, de cima até embaixo, mostrando-lhe os aposentos com o imenso tesouro. Evitou uma determinada porta: a do quarto onde se achava o retrato perigoso. Estava colocado de maneira que, ao se abrir a porta, era logo visto; e era tão maravilhoso que parecia vivo, tão lindo, tão delicado que nada no mundo podia se comparar a ele. O jovem rei notou que o fiel João passava sempre sem parar diante daquela única porta e, curiosamente, perguntou:

— E essa porta, por que não abre nunca?

— Não abro porque há lá dentro algo que o assustaria – respondeu o criado.

O jovem rei, porém, insistiu:

— Já visitei todo o castelo, agora quero saber o que há lá dentro.

E foi-se encaminhando, decidido a forçar a porta. O fiel João deteve-o, suplicando:

— Prometi a seu pai, momentos antes de sua morte, que jamais veria o que lá se encontra, porque isso seria causa de grandes desventuras para o senhor e para mim.

— Não, não – replicou o jovem rei –, a minha desventura será ignorar o que há lá dentro, pois não mais terei sossego, enquanto não conseguir ver com meus próprios olhos. Não sairei daqui enquanto não abrir essa porta.

Vendo que nada adiantava opor-se, o fiel João, com o coração apertado de angústia, procurou no grande molho a chave indicada. Tendo aberto a porta, entrou em primeiro lugar, pensando, assim, encobrir com seu corpo o retrato para que o rei não o visse. Nada adiantou, porém, porque o rei, erguendo-se nas pontas dos pés, olhou por cima de seu ombro e conseguiu ver.

Mal avistou o retrato da belíssima jovem, resplandecente de ouro e pedrarias, caiu por terra desmaiado. O fiel João precipitou-se logo e carregou-o para a cama, enquanto pensava, cheio de aflição: "A desgraça aconteceu. Senhor Deus, o que acontecerá agora?" Procurou reanimá-lo, dando-lhe uns goles de vinho, e assim que o rei recuperou os sentidos, suas primeiras palavras foram:

– Ah! De quem é aquele retrato maravilhoso?

– É da princesa do Telhado de Ouro – respondeu o fiel João.

– Meu amor por ela é tão grande que, se todas as folhas das árvores fossem línguas, ainda não bastariam para exprimir. Arriscarei, sem hesitar, minha vida para conquistá-la; e você, meu fidelíssimo João, deve ajudar-me. – disse o rei.

O pobre criado meditou longamente na maneira conveniente de agir; porquanto era muito difícil chegar à presença da princesa. Após muito refletir, descobriu um meio que lhe pareceu bom e comunicou ao rei:

– Tudo o que cerca a princesa é de ouro: mesas, cadeiras, baixelas, copos, vasilhas, enfim, todos os utensílios de uso doméstico são de ouro. Em seu tesouro há cinco toneladas de ouro; reúne os ourives da corte e manda cinzelar esse ouro; que o transformem em toda espécie de vasos e objetos ornamentais: pássaros, feras e animais exóticos. Isso agradará a princesa. Vamos nos apresentar a ela, oferecendo essas coisas todas, e tentaremos a sorte.

O rei convocou todos os ourives e estes passaram a trabalhar dia e noite até aprontar aqueles esplêndidos objetos. Uma vez tudo pronto, foi carregado para um navio. O fiel João se disfarçou de mercador e o rei teve de fazer o mesmo para não ser reconhecido. Em seguida zarparam, navegando longos dias até chegarem à cidade onde morava a princesa do Telhado de Ouro.

O fiel João aconselhou o rei que permanecesse no navio esperando.

– Talvez eu traga comigo a princesa, portanto, providencie para que tudo esteja em ordem; mande expor todos os objetos de ouro e adornar caprichosamente o navio.

Em seguida, reuniu diversos objetos de ouro no avental, desceu à terra e dirigiu-se diretamente ao palácio real. Chegando ao pátio do palácio, avistou uma linda moça tirando água da fonte com dois baldes de ouro. Quando ela se voltou, carregando a água cristalina, deparou com o desconhecido; perguntou-lhe quem era. Fiel João respondeu:

– Sou um mercador, abrindo o avental e mostrando o que trazia.

– Ah! Que lindos objetos de ouro! – exclamou a moça.

Descansou os baldes no chão e pôs-se a examiná-los um por um.

– A princesa deve vê-los, gosta tanto de objetos de ouro que, certamente, comprará todos. – comentou João.

Tomando-lhe a mão, conduziu-o até aos aposentos superiores, que eram os da princesa. Quando esta viu a esplêndida mercadoria, disse encantada:

– Está tudo tão bem cinzelado que desejo comprar todos os objetos.

O fiel João, porém, disse:

– Eu sou apenas o criado de um rico mercador; o que tenho aqui nada é em comparação ao que meu amo tem no seu navio; o que de mais artístico e precioso se tenha já feito em ouro, ele tem lá.

Ela pediu que lhe trouxessem tudo, mas o fiel João retrucou:

– Para isso seriam necessários muitos dias, tal a quantidade de objetos. Seriam necessárias também muitas salas para expô-los, e este palácio, parece-me, não tem espaço suficiente.

Assim, atiçou a curiosidade e o desejo. E ela concordou em ir até ao navio.

– Leve-me, quero ver pessoalmente os tesouros que seu amo tem a bordo.

Radiante de felicidade, o fiel João conduziu-a a bordo do navio e, quando o rei a viu achou que era ainda mais bela do que no retrato. Seu coração ameaçava saltar-lhe do peito de tanto alegria. O rei recebeu-a e acompanhou-a ao interior do navio. O fiel João, porém, ficou junto ao timoneiro, ordenando-lhe que zarpasse depressa.

– A toda vela, faça com que voe como um pássaro no ar – dizia ele.

Entretanto, o rei ia mostrando à princesa, um por um, os maravilhosos objetos de ouro: pratos, copos, vasilhas, pássaros, feras e monstros, exaltando-lhes as formas e o fino cinzelamento. Passaram, assim, muitas horas na contemplação daquelas obras de arte; em sua alegria ela nem sequer percebera que o navio estava navegando. Tendo examinado o último objeto, agradeceu ao mercador, dispondo-se a voltar para casa; mas, chegando ao tombadilho, viu que o navio corria a toda vela rumo ao mar alto, distante da costa. Ela gritou, apavorada:

– Ah, enganaram-me! Fui raptada, estou à mercê de um vulgar mercador, prefiro morrer!

O rei, então, pegando-lhe a mãozinha disse:

– Não sou um vulgar mercador; sou um rei de nascimento não inferior ao seu. Se usei de astúcia para a raptar, foi por excesso de amor. Quando vi pela primeira vez teu retrato, a emoção prostrou-me desmaiado.

Ouvindo essas palavras, a princesa do Telhado de Ouro sentiu-se confortada e de tal maneira seu coração se prendeu ao jovem, que consentiu em se tornar sua esposa.

O navio continuava em mar alto e os noivos extasiavam-se a contemplar aqueles objetos todos. Enquanto isso, o fiel João, sentado à proa, divertia-se a tocar o seu instrumento; viu, de repente, três corvos esvoaçando, que pousaram ao seu lado. Parou de tocar, a fim de ouvir o que grasnavam, pois tinha o dom de entender a sua linguagem. Um deles grasnou:

– Eis que vai levando para casa a princesa do Telhado de Ouro.

– Sim – respondeu o segundo –, mas ela ainda não lhe pertence!

– Pertence, sim – replicou o terceiro –, ela está aqui no navio com ele.

Então o primeiro corvo tornou a grasnar:

– Que adianta? Quando desembarcarem, sairá a seu encontro um cavalo alazão, o rei tentará montá-lo. Se o conseguir, o cavalo fugirá com ele, alçando-se em voo pelo espaço, e nunca mais ele voltará a ver sua princesa.

– E não há salvação? – perguntou o segundo corvo.

– Sim, se um outro se antecipar e montar rapidamente no cavalo, pegar a arma que está no coldre e conseguir matar o cavalo. Só assim o rei estará salvo. Mas quem é que está a par disso? Se, por acaso, alguém souber e alertar o rei, suas pernas, dos pés aos joelhos, se transformariam em pedra, quando falasse.

O segundo corvo falou:

– Eu sei mais coisas. Mesmo que matem o cavalo, o jovem rei não conservará a noiva, pois, ao chegarem ao castelo, encontrarão numa sala um manto nupcial que lhes parecerá tecido de ouro e prata. Mas é tecido de enxofre e de piche. Se o rei o vestir, queimar-se-á até à medula dos ossos.

O terceiro corvo perguntou:

– E não há salvação?

– Oh, sim – respondeu o segundo –, se alguém, tendo calçado luvas, agarrar depressa o manto e o atirar ao fogo para que se queime, o jovem rei estará salvo. Mas que adianta se ninguém sabe disso? E se o souber e avisar o rei, se transformaria em pedra desde os joelhos até o coração.

O terceiro corvo, por sua vez, falou:

– Eu ainda sei mais: mesmo que queimem o manto, ainda assim o jovem rei não terá a noiva; pois, após as núpcias, quando começar o baile e a jovem rainha for dançar, ficará repentinamente pálida e cairá ao chão como morta. E se a alguém não a acudir depressa e não sugar três gotas de seu sangue, cuspindo-o em seguida, ela morrerá. Mas se alguém souber disso e o revelar ao rei, ficará inteiramente de pedra desde a cabeça até as pontas dos pés.

Finda esta conversa, os corvos levantaram voo e sumiram. O fiel João, que tudo ouvira e entendera, tornou-se, desde então, tristonho e taciturno. Se não contasse o que sabia ao seu amo, este iria de encontro à própria infelicidade. Porém, se lhe revelasse tudo, seria a própria vida que sacrificaria. Por fim resolveu-se: "Devo salvar meu amo, mesmo que isso me custe a vida."

Quando, portanto, desembarcaram, sucedeu exatamente o que havia previsto o corvo: saiu-lhes ao encontro um belo cavalo alazão. O rei exclamou:

– Muito bem, este cavalo me levará ao castelo! – e fez menção de montá-lo.

O fiel João, porém, se antecipou. Saltou na sela, tirou a arma do coldre e, num instante, abateu o cavalo. Os outros acompanhantes do rei, que não simpatizavam com o fiel João, exclamaram indignados:

– Que absurdo! Matar um animal tão belo! Tão apropriado para levar nosso rei ao castelo!

O rei, porém, interveio:

– Calem-se, deixem-no fazer o que achar conveniente; sendo o meu fidelíssimo João, deve ter motivos razoáveis para agir assim.

Encaminharam-se todos para o castelo; na sala depararam com o lindo manto nupcial, que parecia tecido de ouro e prata, sobre uma bandeja. O jovem rei quis logo vesti-lo, mas o fiel João, com um gesto rápido, afastou-o e, de mãos enluvadas, agarrou o manto e o lançou ao fogo, que o consumiu imediatamente.

Os acompanhantes do rei tomaram a protestar contra esse atrevimento:

– Vejam só! Ousa queimar até o manto nupcial do rei!

Mas o rei tornou a interrompê-los:

– Calem-se! Deve haver um sério motivo para isso; deixem que faça o que deseja, ele é o meu fidelíssimo João.

Tiveram início as bodas, com grandes festejos. Chegando a hora do baile, a noiva quis dançar. O fiel João, atento às menores coisas, não deixava de observar-lhe o rosto. De repente, viu-a empalidecer e cair por terra como morta. De um salto, aproximou-se dela, tomou-a nos braços e carregou-a para o quarto, reclinando-se em seu leito; ajoelhando-se ao lado da cama, sugou-lhe três gotas de sangue e cuspiu-as. Com isso ela imediatamente recuperou os sentidos e voltou a respirar normalmente.

O rei, que a tudo assistia sem compreender as atitudes do fiel João, ficou furioso e ordenou:

– Prendam-no já! Levem-no para o cárcere.

Na manhã seguinte, o fiel João foi julgado e condenado à morte. Mas, no momento de ser executado, de pé sobre o estrado, resolveu falar.

– Antes de morrer, todos os condenados têm direito de falar; terei eu também esse direito?

– Sim, sim! – concordou o rei.

Então, o fiel João revelou a verdade.

– Estou sendo injustamente condenado; sempre lhe fui fiel.

E narrou, detalhadamente, a conversa dos corvos, que ouvira quando estavam a bordo, em alto-mar. Fizera o que fizera só para salvar o rei, seu amo. Então, muito comovido, o rei exclamou:

– Oh, meu fidelíssimo João, me perdoe! Perdão! Soltem-no imediatamente.

Porém, assim que acabara de pronunciar as últimas palavras, o fiel João caiu inanimado, transformado-se em uma estátua de pedra.

A rainha e o rei entristeceram-se profundamente, e este último, em prantos, lamentava-se:

– Ah! Quão mal recompensei tamanha fidelidade!

Deu ordens para que a estátua fosse colocada em seu próprio quarto, ao lado da cama. Cada vez que seu olhar caía sobre ela, desatava a chorar, lamuriando-se:

– Ah! Se me fosse possível restituir-lhe a vida, meu caro, meu fiel João!

Decorrido algum tempo, a rainha deu à luz dois meninos gêmeos, os quais cresceram viçosos e bonitos e constituíam a sua maior alegria. Uma ocasião, enquanto a rainha se encontrava na igreja e os dois meninos brincavam junto do pai, este volveu-se entristecido para a estátua, suspirando:

– Se pudesse restituir-lhe a vida, meu fiel João!

Então viu a pedra animar-se e falar.

– Sim, está em seu poder restituir-me a vida, a custa, porém do que lhe é mais caro.

Assombrado com essa revelação, o rei exclamou:

– Por você darei tudo o que me seja mais caro neste mundo!

A pedra então continuou:

– Pois bem; se, com suas próprias mãos, cortar a cabeça de seus dois filhinhos e me friccionar com seu sangue, eu recuperarei a vida.

O rei ficou horrorizado com a ideia de ter que matar seus filhos. Mas lembrou-se daquela fidelidade sem par que lhe dedicara o fiel João, a ponto de morrer para salvá-lo e não hesitou mais: sacou a espada e decepou a cabeça dos filhos. Depois friccionou com o sangue deles a estátua de pedra e esta logo se reanimou aparecendo-lhe vivo e são o seu fiel João, que disse:

– A sua lealdade não pode ficar sem recompensa.

Então, apanhando as cabeças dos meninos, recolocou-as sobre os troncos. Depois, untou-lhes o corte com sangue deles e, imediatamente, os garotos voltaram a saltar e a brincar como se nada tivesse acontecido.

O rei ficou radiante de alegria; quando viu a rainha que vinha voltando da igreja, escondeu o fiel João e os meninos dentro de um armário. Assim que ela entrou, perguntou-lhe:

– Foi à igreja rezar?

– Sim, mas não cessei de pensar no fiel João; por nossa causa foi ele tão desventurado! – respondeu.

Então o rei insinuou:

– Minha querida rainha, nós poderíamos restituir-lhe a vida; mas em troca da vida de nossos filhinhos. Acha que devemos sacrificá-los?

A rainha empalideceu, sentindo o sangue gelar-lhe nas veias. Contudo, animou-se e disse:

– Pela incomparável fidelidade que nos dedicou, acho que devemos.

Felicíssimo por ver que a rainha concordava com ele, o rei abriu o armário e fez sair as crianças e o fiel João.

– Graças a Deus – disse –, aqui está ele desencantado e temos também os nossos filhinhos.

Depois contou-lhe, detalhadamente, o ocorrido. E, a partir de então, viveram todos juntos, alegres e felizes, até o fim da vida.

Ilustração de Remmett Owen

CINDERELA

Era uma vez um homem muito rico, cuja mulher adoeceu. Esta, quando sentiu o fim aproximar-se, chamou a sua única filha à cabeceira e disse-lhe com muito amor:

– Querida filha, continue sempre boa e piedosa. O amor de Deus há de acompanhá-la sempre. Lá do céu velarei sempre por ti. E dito isto, fechou os olhos e morreu.

A menina ia todos os dias para junto do túmulo da mãe chorar e regar a terra com suas lágrimas. E continuou a ser boa e piedosa. Quando o inverno chegou, a neve fria e gelada da Europa cobriu o túmulo com um manto branco de neve. Quando o sol da primavera o derreteu, o pai casou-se com uma mulher ambiciosa e cruel que já tinha duas filhas parecidas com ela em tudo.

Mal se cruzou com elas, a pobre órfã percebeu que nada de bom podia esperar delas, pois logo que a viram falaram com desprezo:

– O que é que essa garota está fazendo? Volte para a cozinha, que é lá o seu lugar!!!

E a madrasta acrescentou:

– Têm razão, filhas. Ela será nossa criada e terá de ganhar o pão que come com o seu trabalho diário.

Tiraram-lhe os seus lindos vestidos e deram roupas velhas e tamancos de madeira para calçar.

– E agora já para a cozinha! – disseram elas, rindo.

E, a partir desse dia, a menina passou a trabalhar arduamente, desde que o sol nascia até altas horas da noite: ia buscar água no poço, acendia a lareira, cozinhava, lavava a roupa, costurava, esfregava o chão...

À noite, extenuada de trabalho, não tinha uma cama para descansar. Deitava-se perto da lareira, junto ao borralho, por isso ganhou o apelido de Gata Borralheira.

O tempo passava e a sorte da menina não mudava. Pelo contrário, as exigências da madrasta e das suas filhas eram cada vez maiores.

Um dia, o pai ia para a cidade e perguntou às duas enteadas o que queriam que ele lhes trouxesse.

– Lindos vestidos – disse uma.

– Joias – disse a outra.

– E você, Cinderela, o que quer? – perguntou o pai.

– Um ramo verde da primeira árvore que encontrar no caminho de volta.

O pai comprou os vestidos para as enteadas e as joias que tinham pedido, e no caminho de regresso cortou para a filha um ramo da primeira árvore que encontrou. De uma oliveira.

Ao chegar em casa, deu às enteadas o que lhe tinham pedido e entregou à filha o galho de oliveira. Ela correu para junto ao túmulo da mãe, enterrou o ramo na terra e chorou tanto que as lágrimas o regaram. O ramo começou a crescer e se tornou uma bela árvore.

A menina continuou a visitar o túmulo da mãe todos os dias e certa vez ouviu uma bonita pomba branca falar:

– Não chore mais, minha querida. Lembre-se de que, a partir de agora, cumprirei todos os seus desejos.

Pouco depois o rei anunciou a todo o reino que ia dar uma festa durante três dias. Convidava todas as moças solteiras do reino. O príncipe herdeiro iria escolher a sua futura esposa.

Imediatamente as duas filhas da madrasta chamaram a Cinderela e disseram:

– Nos ajude a pentear e vestir, pois temos de ir ao baile do príncipe para que ele possa escolher qual de nós duas será a sua esposa.

A Cinderela obedeceu humildemente. Mas quando viu as duas luxuosamente vestidas desatou a chorar e suplicou à madrasta que também a deixasse ir ao baile.

– Você ir ao baile? Já se olhou no espelho?

A madrasta, face à insistência da Cinderela, acrescentou, ao mesmo tempo que atirava um pote de lentilhas para as cinzas:

– Está bem! Se separar as lentilhas em duas horas, irá conosco.

A menina saiu para o jardim e chorou. De repente, se lembrou do que a pomba lhe tinha dito, e expressou o seu primeiro desejo:

– Dócil pombinha, rolinhas e todos os passarinhos do céu, venham ajudar-me a separar as lentilhas. As boas no prato e as ruins no papo.

Duas pombinhas brancas, seguidas de duas rolinhas e de uma nuvem de passarinhos entraram pela janela da cozinha e começaram a bicar as lentilhas. E muito antes de terminarem as duas horas concedidas, separaram as lentilhas. Entusiasmada, a menina foi mostrar à madrasta o prato com as lentilhas escolhidas.

– Muito bem, mas que vestido vai usar? E além disso, nem sabe dançar. Será melhor ficar em casa. – disse a madrasta, com ironia.

Desconsolada, a Cinderela começou a chorar, ajoelhou-se aos pés da madrasta e voltou a suplicar-lhe que a deixasse ir ao baile.

– Está bem – disse ela com cinismo. – Dou outra oportunidade.

E voltou a espalhar dois potes de lentilhas sobre as cinzas.

– Se conseguir escolher as lentilhas numa hora, irá ao baile.

A doce menina saiu correndo para o jardim e gritou:

– Dóceis pombinhos, rolinhas e todos os passarinhos do céu, venham ajudar-me a separar as lentilhas. As boas no prato e as ruins no papo.

De novo, duas pombas brancas entraram pela janela da cozinha, depois as pequenas rolas e um bando de passarinhos, e num instantinho escolheram-nas e voaram para sair por onde entraram.

A menina falou com a madrasta mostrou-lhe as lentilhas escolhidas, mas de nada lhe serviu.

– Deixa-me em paz com as suas lentilhas! Vai ficar em casa e pronto! Ponto final!

Virou-lhe as costas e chamou as filhas. Quando já não havia ninguém em casa, a Cinderela foi junto ao túmulo da mãe, debaixo da oliveira, e gritou:

– Arvorezinha. Toca a abanar e a sacudir. Atire ouro e prata para eu me vestir.

A pomba que lhe tinha oferecido ajuda apareceu sobre um ramo e, estendendo as asas, transformou os seus farrapos num lindíssimo vestido de baile e os seus tamancos em luxuosos sapatos bordados a ouro e prata.

Quando entrou no salão de baile, todos os presentes se admiraram perante tamanha beleza. Mas as mais surpreendidas foram as duas filhas da madrasta que estavam convencidas de que seriam as mais belas da festa. Porém, nem elas, nem a madrasta ou o pai reconheceram a Cinderela.

O príncipe ficou fascinado ao vê-la. Tomou-a pela mão e os dois começaram o baile. Durante toda a noite esteve ao seu lado e não permitiu que mais ninguém dançasse com ela.

Chegado o momento de se despedirem, o príncipe ofereceu-se para acompanhá-la, pois estava ansioso para saber quem era aquela jovem e onde morava. Mas ela deu uma desculpa para se retirar por momentos e aproveitou para abandonar o castelo. Ao correr, deixou embaixo de uma árvore o seu formoso vestido e os sapatos.

A pomba, que estava à sua espera, pegou neles com as suas patinhas e desapareceu na escuridão da noite. Ela vestiu o vestido cinzento, o avental e os tamancos e, como de costume, deitou-se junto ao borralho do fogão e adormeceu.

No dia seguinte, quando se aproximou a hora do início do segundo baile, esperou até ouvir partir a carruagem e correu para junto da árvore:

– Arvorezinha. Comece a abanar e a sacudir. Atire ouro e prata para me vestir.

E de novo apareceu a pomba e a vestiu com um vestido ainda mais lindo que o da noite anterior e calçou-lhe uns sapatos que pareciam de ouro puro. A sua aparição no palácio causou sensação maior ainda do que da primeira vez. O próprio príncipe, que a esperava impaciente, sentiu-se ainda mais deslumbrado.

Pegou-lhe na mão e, de novo, dançou com ela a noite toda.

Ao chegar a hora da despedida, o príncipe voltou a oferecer-se para acompanhá-la, mas ela insistiu que preferia voltar sozinha para casa. Mas desta vez o príncipe seguiu-a. De repente, parecia que tinha sido engolida pelo chão. Em vez de entrar em casa, a Cinderela, de vergonha, se escondeu atrás de uma frondosa oliveira que havia no jardim. O príncipe continuou a procurá-la pelas redondezas, até que, decepcionado, regressou ao palácio.

A Cinderela abandonou então o seu esconderijo, e quando a madrasta e as filhas chegaram, ela já tinha tirado as vestes maravilhosas e posto os seus trapos velhos.

No terceiro dia, quando o pai fustigou o cavalo e a carruagem se afastou com a sua a esposa e filhas, a menina aproximou-se de novo da árvore e disse:

– Arvorezinha. Comece a abanar e a sacudir. Atire ouro e prata para me vestir.

E a pomba, uma vez mais, trouxe-lhe um vestido ainda mais lindo que os anteriores e uns sapatos bordados a ouro para os seus pequeninos e delicados pés.

E depois, colocou-lhe sobre os ombros uma capa de veludo dourado.

Quando entrou no salão de baile, a belíssima Cinderela foi recebida com uma exclamação de assombro por parte de todos os presentes.

O príncipe apressou-se a beijar-lhe a mão e a abrir o baile, não se separando dela toda a noite.

Pouco antes da meia-noite, a jovem despediu-se do príncipe e correu. O príncipe não conseguiu alcançá-la, mas encontrou na escadaria um sapatinho dourado que ela tinha perdido durante a sua precipitada fuga. Apanhou-o e apertou-o contra o coração.

Na manhã seguinte, mandou os seus mensageiros difundirem por todo o reino que se casaria com aquela que conseguisse calçar o precioso sapato.

Depois de todas as princesas, duquesas e condessas o terem inutilmente experimentado, ordenou aos seus emissários que o sapato fosse provado por todas as jovens, qualquer que fosse a sua condição social e financeira.

Quando chegaram à casa onde vivia a Cinderela, a irmã mais velha insistiu que devia ser ela a primeira a experimentar e, acompanhada pela mãe que já a imaginava rainha, subiu ao quarto, convencida que lhe servia. Mas o seu pé era demasiado grande. Então a mãe, furiosa, obrigou-a a calçá-lo à força, dizendo-lhe:

– Embora fique apertado agora, não se preocupe. Pense que em breve será rainha e não terá que andar a pé nunca mais.

A jovem disfarçou a dor que sentia e subiu na carruagem, apresentando-se diante do filho do rei.

Embora ele tenha notado de imediato que aquela não era a bela desconhecida que conhecera no baile, teve de considerá-la como sua prometida. Montou-a no seu cavalo e foram juntos dar um passeio. Mas, ao passar diante de uma frondosa árvore, viu sobre os seus ramos duas pombas brancas que o advertiram:

– Olhe para o pé da donzela, e verá que o sapato não é dela...

O príncipe desmontou e tirou-lhe o sapato. E ao ver como o pé estava roxo e inchado, percebeu que tinha sido enganado. Voltou à casa e ordenou que a outra irmã experimentasse o sapato.

A irmã mais nova subiu ao quarto, acompanhada da mãe, e tentou calçá-lo. Mas o seu pé também era demasiado grande.

E a mãe obrigou-a a calçá-lo à força, dizendo-lhe:

– Embora fique apertado agora, não se preocupe. Pense que em breve será rainha e não terá que andar a pé nunca mais.

A filha obedeceu, enfiou o pé no sapato e, disfarçando a dor, apresentou-se ao príncipe que, apesar de ver que ela não era a bela desconhecida do baile, teve que considerá-la como sua prometida. Montou-a no seu cavalo e levou-a a passear pelo mesmo lugar aonde levara a sua irmã. Ao passar diante da árvore onde estavam as duas pombas, ouviu-as de novo adverti-lo:

– Olhe para o pé da donzela, e verá que o sapato não é dela...

O príncipe tirou-lhe o sapato e ao ver que tinha o pé ainda mais inchado que a irmã, percebeu que também ela o tinha enganado.

– Aqui lhe trago esta impostora. E dê graças a Deus por não ordenar que sejam castigadas. Mas se ainda tem outra filha, estou disposto a dar nova oportunidade e eu mesmo lhe calçarei o sapato.

– Não. Não temos mais filhas – disse a madrasta.

Mas o pai acrescentou:

– Bem, a verdade é que tenho uma filha do meu primeiro casamento, que vive conosco. É ela que faz a limpeza da casa e por isso anda sempre suja. É a Cinderela.

– As minhas ordens dizem que todas as jovens sem exceção devem experimentar o sapato. Tragam-na à minha presença. Eu mesmo a calçarei.

A Cinderela tirou um dos pesados tamancos e calçou o sapato sem o menor esforço. Coube-lhe perfeitamente.

O príncipe, maravilhado, olhou bem para ela e reconheceu a formosa donzela com quem tinha dançado.

– A minha amada desconhecida! – exclamou ele. – Será a minha esposa.

O príncipe, radiante de felicidade, sentou-a ao seu lado no cavalo e tomou o mesmo caminho por onde tinha ido com as duas impostoras.

Pouco depois, ao aproximar-se da árvore onde estavam as pombas, ouviu-as dizer:

– Continue, príncipe, a sua cavalgada, pois a dona do sapato já foi encontrada.

As pombas pousaram sobre os ombros da jovem e os seus farrapos transformaram-se no deslumbrante vestido que ela tinha usado no último baile.

Chegaram ao palácio e logo foi celebrado o casamento. Quando os habitantes do reino souberam da forma como o malvado e desnaturado pai, a madrasta e as duas filhas tinham tratado aquela que agora era a sua adorada princesa, começaram a desprezá-los de tal modo que eles tiveram que abandonar o reino.